HARRAP'S

Vocabulario Inglés

First published in the United States in 1994
by Chambers Harrap Publishers Ltd
43-45 Annandale Street, Edinburgh EH7 4AZ, UK

ISBN 0 02 860094 0

Typeset by Roger King Graphic Studios
Printed in Great Britain by Clays Ltd, St Ives plc

INTRODUCCIÓN

Vocabulario inglés es un amplio repertorio de vocabulario que pretende responder a las necesidades de todos aquellos que estén aprendiendo inglés.

Con sus 65 temas, que recogen más de 6.000 voces y frases del inglés de hoy, representa una auténtica mina enriquecedora del vocabulario. Los capítulos, divididos en subtemas, permiten profundizar en los conocimientos de la lengua dentro de un campo determinado.

El índice, con más de 5.000 referencias, en español, permite a los usuarios localizar fácilmente el correspondiente término en inglés y, en muchas ocasiones, proporciona referencias temáticas cruzadas.

ÍNDICE

ÍNDICE

ÍNDICE

44 En la playa 194
45 Términos geográficos 198
46 Países, continentes, etc. 200
47 Nacionalidades 204
48 Idiomas 206
49 Vacaciones en Gran Bretaña 208
50 Incidentes 211
51 Accidentes 213
52 Desastres 217
53 El crimen 220
54 Aventuras y sueños 225
55 La hora 229
56 La semana 233
57 El año 235
58 La fecha 237
59 Los números 239
60 Las cantidades 242
61 Descripción de cosas 246
62 Los colores 250
63 Los materiales 251
64 Las indicaciones 254
65 Americanismos 256
Índice 260

1 DESCRIBING PEOPLE
LA DESCRIPCIÓN DE LAS PERSONAS

to be	ser, estar
to have	tener, haber
to look	parecer
to seem	parecer, semejar
to weigh	pesar
to describe	describir
quite	bastante
rather	más bien
very	muy
too	demasiado
description	descripción
appearance	apariencia, aire
look	aire, aspecto
height	talla, altura
size	talla *(ropa)*
weight	peso
hair	pelo, cabello
beard	barba
moustache	bigote
eyes	ojos
skin	piel
complexion	tez
spot	grano, forúnculo
pimple	grano *(acné)*
mole	lunar
beauty spot	lunar
freckles	pecas
wrinkles	arrugas

dimples	hoyuelos
glasses	gafas
contact lenses	lentes de contacto, lentillas
young	joven
old	viejo
tall	alto
small	pequeño
of average height	de estatura mediana
fat	gordo
thin	delgado
skinny	delgaducho
slim	esbelto
muscular	musculoso
beautiful	bella
good-looking	bien parecido, guapo
handsome	bien parecido (hombre)
pretty	bonita
sweet	dulce
cute	mono
ugly	feo
spotty	con granos
sun-tanned	bronceado
pale	pálido
wrinkled	con arrugas
to have — eyes	tener los ojos —
blue	azules
green	verdes
grey	grises
brown	marrones
hazel	castaños
black	negros

what's he/she like?
¿cómo es?

can you describe him/her?
¿puede describirlo/la?

I'm 1.75 metres (5 feet 9 inches) tall
mido 1 metro 75

I weigh 11 stone(s) (70 kilos)
peso 70 kilos

the man with the white beard
el hombre de barba blanca

a woman with blue eyes
una mujer de ojos azules

he's got beautiful eyes
tiene unos ojos preciosos

he looks a bit strange
tiene aspecto raro

Ver también los capítulos **2 LA ROPA Y LA MODA, 3 EL PELO Y EL MAQUILLAJE, 4 EL CUERPO HUMANO, 6 LA SALUD** y **61 DESCRIPCIÓN DE COSAS.**

2 CLOTHES AND FASHION
LA ROPA Y LA MODA

to dress	vestirse
to undress	desvestirse
to put on	ponerse
to take off	quitarse
to try on	probarse
to wear	llevar
to suit	sentar bien
to fit	ser de la talla

clothes

la ropa

coat	abrigo, cazadora, chaqueta
overcoat	gabardina
raincoat	impermeable
anorak	anorak
cagoule	canguro
bomber jacket	cazadora de aviador
jacket	chaqueta, americana

suit	traje
(lady's) suit	traje de chaqueta
dinner jacket	esmoquin
uniform	uniforme

trousers	pantalones
ski pants	pantalones de esquí
jeans	vaqueros
dungarees	mono, peto
track suit	mono
shorts	pantalones cortos

dress	vestido
evening dress	vestido de noche
skirt	falda
pleated skirt	falda plisada
mini-skirt	minifalda
culottes	falda-pantalón
kilt	falda escocesa
jumper	jersey
sweater	jersey
heavy jumper	jersey grueso
polo neck (jumper)	jersey de cuello redondo
V-neck (jumper)	jersey de cuello de pico
waistcoat	chaleco
cardigan	cardigan
shirt	camisa
blouse	blusa
nightdress	camisón
pyjamas	pijama
dressing gown	bata
bikini	bikini
swimming costume	traje de baño
swimming trunks	bañador (hombre)
pants	calzoncillos
bra	sostén
vest	camiseta (ropa interior)
T-shirt	camiseta
underskirt	combinación
petticoat	enaguas
suspender belt	portaligas
stockings	medias
tights	pantys
socks	calcetines

beret	boina
cap	gorra
hat	sombrero

| **footwear** | **el calzado** |

shoes	zapatos
boots	botas
Wellington boots/wellingtons	botas de lluvia
ankle boots	botas cortas
trainers	zapatillas de baloncesto
gym shoes	zapatillas de deporte

ski boots	botas de esquí
sandals	sandalias
espadrilles	alpargatas
flip-flops	chancletas
slippers	pantuflas

a pair of	un par de
sole	suela
heel	tacón
flat heels	tacones bajos
stiletto heels	tacones aguja

| **accessories** | **complementos** |

(bowler) hat	bombín
straw hat	sombrero de paja
sun hat	sombrero de ala ancha
cap	gorra

scarf	bufanda
headscarf	pañuelo (para la cabeza)
gloves	guantes
mittens	mitones

tie	corbata
bow-tie	pajarita
braces	tirantes
belt	cinturón
collar	cuello
pocket	bolsillo
button	botón
cufflinks	gemelos
zip	cremallera
shoelaces	cordones
ribbon	lazo
handkerchief	pañuelo
umbrella	paraguas
handbag	bolso

jewellery — las joyas

jewel	joyas
silver	plata
gold	oro
precious stone	piedra preciosa
pearl	perla
diamond	diamante
emerald	esmeralda
ruby	rubí
sapphire	zafiro
ring	anillo
earrings	pendientes
bracelet	pulsera
bangle	brazalete
brooch	broche
necklace	collar
chain	cadena
pendant	colgante
watch	reloj (de pulsera)

costume jewellery	joyas de fantasía
gold ring	anillo de oro
pearl necklace	collar de perlas

size	**la talla**
small	pequeña
medium	mediana
large	grande
short	corto
long	largo
wide	ancho
loose-fitting	amplio
tight	ceñido
(too) tight	ajustado
clinging	estrecho
close-fitting	entallado
size	talla
waist	talle, cintura
shoe size	número del calzado
collar size	contorno de cuello
hip measurement	contorno de cadera
bust/chest measurement	contorno de pecho
waist measurement	contorno de cintura

style	**los estilos**
model	modelo
design	diseño
style	estilo
colour	color, colorido
shade	tono
pattern	motivo
plain	liso
printed	estampado
embroidered	bordado

check(ed)	a cuadros
flowered/flowery	floreado
with pleats/pleated	plisado
polka-dot	a lunares (grandes)
spotted	a lunares (pequeños)
striped	a rayas
elegant	elegante
smart	elegante
formal	formal
casual	informal
sloppy	informal, descuidado
simple	sencillo
sober	sobrio
loud	llamativo
gaudy	llamativo
fashionable	de moda
old-fashioned	pasado de moda, anticuado
made-to-measure	hecho a medida
low-cut	escotado

fashion — la moda

(winter) collection	colección (de invierno)
clothing industry	industria de la confección
dressmaking	costura
fashion designer	diseñador
dressmaker	modista
fashion model	modelo
fashion show	desfile de modelos

cotton/woollen socks
calcetines de algodón/lana

it's (made of) leather
es de cuero

a skirt that matches this shirt
una falda que vaya con esta camisa

what is your size?
¿de qué talla es?

what size (of shoes) do you take?
¿qué número calza?

red doesn't suit me
el rojo no me sienta bien

these trousers suit you
estos pantalones te sientan bien

Ver también los capítulos **14 GUSTOS Y PREFERENCIAS,
18 DE COMPRAS, 62 LOS COLORES** y **63 LOS MATE-
RIALES.**

3 HAIR AND MAKE-UP
EL PELO Y EL MAQUILLAJE

to do one's hair	arreglarse el pelo
to comb one's hair	peinarse
to brush one's hair	cepillarse el pelo
to dye one's hair	teñirse el pelo
to dye one's hair blonde	teñirse el pelo de rubio
to have a hair-cut	cortarse el pelo
to have one's hair dyed	teñirse el pelo
to have one's hair curled	rizarse el pelo
to have a perm	hacerse una permanente
to have a blow-dry	hacerse un brushing
to cut	cortar
to trim	igualar
to put one's make-up on	maquillarse
to remove one's make-up	desmaquillarse
to put on perfume	perfumarse
to put on nail varnish	pintarse las uñas
to shave	afeitarse

hair length/colour	largo y color del pelo
to have — hair	tener el pelo —
short	corto
long	largo
medium-length	ni corto ni largo
blond	rubio (claro)
fair	rubio
brown	moreno
chestnut	castaño
black	negro
red	pelirrojo
grey	gris

greying	entrecano
white	blanco
to be —	ser —
blond	rubio
fair-haired	rubio
dark-haired	moreno
red-haired	pelirrojo
to be bald	ser calvo

hairstyles

peinados

to have — hair	tener el pelo —
curly	rizado
wavy	ondulado
straight	lacio
fine	fino
thick	grueso
dyed	teñido
greasy	graso
dry	seco
to have a crew-cut	tener el pelo al rape
(hair-)cut	corte de pelo
bob	corte cuadrado
perm	permanente
blow-dry	moldeado
curl	rizo, bucle
lock (of hair)	mechón (de pelo)
highlights	reflejos
fringe	flequillo
pony tail	cola de caballo
bun	rodete
plait	trenza
pigtail	trenza

bunches	coletas
comb	peine
hairbrush	cepillo
hairslide	pasador
hairpin	horquilla
roller	rulo
tongs	tenacillas
wig	peluca
shampoo	champú
gel	gel
mousse	espuma
hair spray	laca

make-up   maquillaje

beauty	belleza
face cream	crema de belleza
moisturizing cream	crema hidratante
face pack	máscara de belleza
powder	polvo
compact	polvera
foundation	base de maquillaje
lipstick	lápiz de labios
mascara	rímel
eyeshadow	sombra de ojos
nail varnish	esmalte de uñas
make-up remover	desmaquillador
nail varnish remover	quitaesmalte
perfume	perfume
toilet water	*eau de toilette*
cologne	colonia
deodorant	desodorante

shaving	el afeitado
beard	barba
moustache	bigote
razor	navaja
electric shaver	afeitadora eléctrica
razor blade	hoja de afeitar
shaving brush	brocha
shaving foam	espuma de afeitar
after-shave	loción para después del afeitado

4 THE HUMAN BODY
EL CUERPO HUMANO

parts of the body	partes del cuerpo
head	cabeza
neck	cuello
throat	garganta
nape of the neck	nuca
shoulder	hombro
chest	pecho
bust	busto
breasts	pechos
abdomen	abdomen
back	espalda
arm	brazo
elbow	codo
hand	mano
wrist	muñeca
fist	puño
finger	dedo
little finger	(dedo) meñique
index finger	(dedo) índice
thumb	pulgar
nail	uña
waist	cintura
hip	cadera
bottom	trasero
buttocks	nalgas
leg	pierna
thigh	muslo
knee	rodilla
calf	pantorrilla
ankle	tobillo
foot	pie

heel	talón
toe	dedo del pie
organ	órgano
limb	extremidad
muscle	músculo
bone	hueso
skeleton	esqueleto
spine	columna vertebral
rib	costilla
flesh	carne
skin	piel
heart	corazón
lungs	pulmones
stomach	estómago
liver	hígado
kidneys	riñones
bladder	vejiga
blood	sangre
vein	vena
artery	arteria

the head   la cabeza

skull	cráneo
brain	cerebro
hair	pelo
face	cara
features	rasgos
forehead	frente
eyebrows	cejas
eyelashes	pestañas
eye	ojo
eyelids	párpados
pupil	pupila
nose	nariz
nostril	orificio nasal
cheek	mejilla

cheekbone	pómulo
jaw	mandíbula
mouth	boca
lips	labios
tongue	lengua
tooth	diente
milk tooth	diente de leche
wisdom tooth	muela del juicio
chin	mentón
dimple	hoyuelo
ear	oreja

Ver también el capítulo **7 MOVIMIENTOS Y GESTOS.**

5 HOW ARE YOU FEELING?
¿CÓMO SE ENCUENTRA?

to feel	encontrarse, sentirse
to be —	tener —
warm	calor (agradable)
hot	calor (desagradable)
cold	frío
hungry	hambre
ravenous	mucha hambre
thirsty	sed
sleepy	sueño
starving	(estar) muerto de hambre
(very) fit	en forma
on (top) form	en forma
strong	fuerte
tired	cansado
exhausted	exhausto
lethargic	aletargado
weak	débil
frail	frágil
healthy	sano
in good health	(tener) buena salud
sick	enfermo
ill	enfermo
awake	despierto
alert	alerta
agitated	agitado
half asleep	semidormido
asleep	dormido
soaked	calado
frozen	congelado
too	demasiado
totally	totalmente

he looks tired
parece cansado

I feel weak
me siento débil

I'm too hot
tengo demasiado calor

I'm starving!
¡me muero de hambre!

I'm exhausted
estoy exhausto

I've had enough
no puedo más

I'm worn out
no doy más

Ver también el capítulo 6 LA SALUD.

6 HEALTH, ILLNESSES AND DISABILITIES
SALUD, ENFERMEDADES E INCAPACIDADES

to be —	estar —
well	bien
unwell	mal(o)
ill	mal(o)
better	mejor
to fall ill	caer enfermo
to catch	coger
to have —	tener —
a sore stomach	dolor de estómago
a headache	dolor de cabeza
a sore throat	dolor de garganta
backache	dolor de espalda
earache	dolor de oído
toothache	dolor de muelas
to feel sick	tener náuseas
to be/feel seasick	estar mareado
to be in pain	sufrir
to suffer (from)	sufrir
to have a cold	tener un resfriado
to have a heart condition	sufrir del corazón
to break one's leg/arm	romperse una pierna/un brazo
to sprain one's ankle	torcerse el tobillo
to hurt one's hand	hacerse daño en la mano
to hurt one's back	hacerse daño en la espalda
to hurt	doler
to bleed	sangrar
to vomit	vomitar
to cough	toser
to sneeze	estornudar

to sweat	transpirar, sudar
to shake	temblar
to shiver	tener escalofríos
to have a temperature	tener fiebre
to faint	desmayarse
to be in a coma	estar en coma
to have a relapse	tener una recaída
to treat	tratar
to nurse	cuidar (a un inválido)
to tend	cuidar
to look after	ocuparse de
to call	llamar
to send for	hacer venir
to make an appointment	pedir hora
to examine	examinar
to advise	aconsejar
to prescribe	recetar
to operate	operar
to have an operation	operarse
to have one's tonsils taken out	operarse de amígdalas
to X-ray	hacerse una radiografía
to dress a wound	vendar una herida
to need	necesitar
to take	tomar
to rest	descansar
to be convalescing	estar convaleciente
to heal	curar(se)
to recover	recuperarse
to be on a diet	estar a dieta
to lose weight	adelgazar
to swell	hincharse
to become infected	infectarse
to get worse	empeorar
to die	morir

ill	enfermo
sick	enfermo
unwell	mal
weak	débil
cured	curado
in good health	sano
alive	vivo
pregnant	embarazada
allergic to	alérgico a
anaemic	anémico
diabetic	diabético
constipated	estreñido
painful	doloroso
contagious	contagioso
serious	grave
infected	infectado
swollen	hinchado
broken	roto
sprained	torcido

illnesses

las enfermedades

disease	enfermedad
pain	dolor
epidemic	epidemia
fit	ataque
attack	ataque
wound	herida
sprain	torcedura
fracture	fractura
haemorrhage	hemorragia (int)
bleeding	hemorragia (ext)
fever	fiebre
temperature	fiebre, temperatura
hiccups	hipo
cough	tos

pulse	pulso
breathing	respiración
blood	sangre
blood group	grupo sanguíneo
blood pressure	tensión sanguínea
period	regla
abscess	absceso
throat infection	angina
appendicitis	apendicitis
arthritis	artritis
asthma	asma
stroke	infarto
abortion	aborto (quirúrgico)
bronchitis	bronquitis
cancer	cáncer
concussion	traumatismo craneal
constipation	estreñimiento
whooping cough	tos ferina
heart attack	ataque cardíaco
epileptic fit	ataque de epilepsia
upset stomach	trastorno de estómago
nervous breakdown	colapso nervioso
diarrhoea	diarrea
epilepsy	epilepsia
miscarriage	aborto (natural)
flu	gripe
hernia	hernia
indigestion	indigestión
infection	infección
sunstroke	insolación
leukaemia	leucemia
headache	jaqueca
migraine	migraña
mumps	paperas
pneumonia	neumonía
rabies	rabia

rheumatism	reuma
cold	resfriado, catarro
hay fever	fiebre del heno
measles	sarampión
German measles	rubeola
AIDS	SIDA
TB	tuberculosis
typhoid	fiebre tifoidea
ulcer	úlcera
chickenpox	varicela
smallpox	viruela

the skin — la piel

burn	quemadura
cut	corte
scratch	arañazo
bite	mordedura
itch	picazón
rash	erupción
acne	acné
spots	granos
wart	verruga
corn	callo
blister	ampolla
bruise	cardenal
scar	cicatriz
sunburn	quemadura solar

treatment — tratamiento

medicine	medicamento
hygiene	higiene
health	salud
contraception	métodos anticonceptivos
(course of) treatment	tratamiento
health care	cuidados

first aid	primeros auxilios
hospital	hospital
clinic	clínica
(doctor's) surgery	consulta
emergency	emergencia
ambulance	ambulancia
stretcher	camilla
wheelchair	silla de ruedas
plaster cast	escayola
crutches	muletas
operation	operación
anaesthetic	anestesia
blood transfusion	transfusión de sangre
X-ray	radiografía
diet	dieta
consultation	consulta
appointment	cita
prescription	receta
convalescence	convalecencia
relapse	recaída
recovery	recuperación
death	muerte
doctor	médico
duty doctor	médico de guardia
specialist	especialista
nurse	enfermera
(male) nurse	enfermero
patient	paciente

medication · los medicamentos

medicine	medicamento
chemist's	farmacia
antibiotics	antibióticos
painkiller	calmante, analgésico
aspirin	aspirina

tranquillizer	tranquilizante
sleeping tablet	somnífero
laxative	laxante
tonic	tónico
vitamins	vitaminas
cough mixture	jarabe para la tos
tablet	tableta, comprimido
lozenge	pastilla
pastille	pastilla
(contraceptive) pill	píldora (anticonceptiva)
drops	gotas
antiseptic	desinfectante
ointment	pomada
cotton wool	algodón hidrófilo
plaster	compresa, escayola
bandage	vendaje
dressing	gasa
sticking plaster	esparadrapo
sanitary towel	toallita, compresa
tampon	tampón
injection	inyección
vaccination	vacuna

at the dentist's — en el dentista

dentist	dentista
dentures	dentadura
decay	caries
extraction	extracción
false teeth	diente postizo
filling	empaste
plaque	placa

disabilities — minusvalías físicas

disabled	impedido
mentally handicapped	deficiente mental

Down's syndrome	mongólico
blind	ciego
colour-blind	daltónico
short-sighted	miope
long-sighted	présbita
hard of hearing	duro de oído
deaf	sordo
deaf and dumb	sordomudo
crippled	paralítico
lame	cojo
handicapped person	impedido/disminuido físico
mentally handicapped person	deficiente mental
blind person	ciego
disabled person	inválido
stick	bastón
wheelchair	silla de ruedas
hearing aid	audífono
glasses	gafas
contact lenses	lentillas

how are you feeling?
¿cómo se siente?

I don't feel very well
no me siento muy bien

I feel sick
tengo ganas de vomitar

I feel dizzy
estoy mareado

where does it hurt?
¿dónde le duele?

my eyes are sore
me duelen los ojos

it's nothing serious
no es nada grave

I took my temperature
me he tomado la temperatura

he's got a temperature of 101
tiene 38 de fiebre

she had an eye operation
se operó del ojo

have you got anything for —?
¿tiene algo para —?

Ver también el capítulo **4 EL CUERPO HUMANO.**

7 MOVEMENTS AND GESTURES
MOVIMIENTOS Y GESTOS

comings and goings	idas y venidas
to go	ir
to appear	aparecer
to arrive	llegar
to go on	seguir
to run	correr
to pass	pasar
to go/come down(stairs)	bajar (la escalera)
to get off	bajar (del autobús, tren, etc.)
to disappear	desaparecer
to go/come in(to)	entrar en
to rush in	irrumpir
to be rooted to the spot	quedarse helado/inmóvil
to pace up and down	pasearse de un lado a otro
to go for a walk	dar un paseo
to belt along	irrumpir
to slide (along)	deslizarse
to walk	andar
to stride	andar (con pasos largos)
to walk backwards	andar hacia atrás
to go up(stairs)	subir (la escalera)
to get on	subir (al autobús, tren, etc.)
to go away	irse, marcharse
to rush away	marcharse deprisa
to go past	pasar por
to go through	atravesar
to move back	retroceder
to go/come back down	volver a bajar
to go/come back up	volver a subir
to set off again	marcharse otra vez
to go/come back (in/home)	volver (a entrar/a casa)
to go/come back out	volver a salir

to stay/remain	quedarse
to return	regresar
to come back	volver
to hop	andar a saltos
to jump	saltar
to stop	detenerse
to go for a stroll	dar un paseo
to hide	esconderse
to go to bed	irse a la cama
to lie down	tumbarse, acostarse, echarse
to hurry	darse prisa
to set off	ponerse en marcha
to come/go out (of)	salir (de)
to follow	seguir
to appear suddenly	surgir
to stagger	andar tambaleándose
to dawdle	andar arrastrando los pies
to hang about	rondar, dar vueltas
to cross	cruzar
to trip	tropezar
to come	venir
arrival	llegada
departure	partida
beginning	principio
end	fin
entrance	entrada
exit, way out	salida
return	regreso
crossing	cruce
walk	paseo
walking	andar
way of walking	forma de andar
step	paso
stroll	paseo
rest	descanso
jump	salto
start	sobresalto

stealthily	a hurtadillas
at a trot/run	a toda prisa

actions acciones

to catch	atrapar
to lower	bajar (algo)
to move	mover
to hide	esconder
to start	empezar
to remove	quitar
to close	cerrar
to finish	terminar
to hit	golpear
to knock	golpear
to throw	tirar
to throw away	tirar (a la basura)
to drop	dejar caer
to fetch	ir a buscar
to lift	levantar
to raise	levantar
to put	poner
to open	abrir
to put down	dejar
to place	colocar
to push	empujar
to take	coger
to start again	volver a empezar
to lean on (with one's elbows)	acodarse
to squat down	ponerse en cuclillas
to kneel down	ponerse de rodillas
to lie down	tenderse
to stretch out	extenderse
to lean (against/on)	apoyarse (contra/sobre)
to sit down	sentarse
to stoop	inclinarse
to get/stand up	levantarse

to lean (over)	asomarse
to (have a) rest	descansar
to turn round	darse la vuelta
to squeeze	estrechar, apretar
to give a start	sobresaltar
to hold	sostener, abrazar
to hold tight	sostener, abrazar fuerte
to hang on to	aferrarse a
to touch	tocar
to pull	tirar (de algo)
to drag	arrastrar

postures	las posturas
sitting	sentado
seated	sentado
standing	de pie
leaning	inclinado
hanging	colgado
squatting	en cuclillas
kneeling	de rodillas
on one's knees	de rodillas
lying down	acostado, tendido
lying face-down	acostado, tendido boca abajo
lying stretched out	extendido
leaning (on/against)	apoyado (sobre/contra)
leaning on one's elbow	acodado
on all fours	a cuatro patas

gestures	los gestos
to look down	bajar la mirada
to lower one's eyes	bajar la mirada
to blink	parpadear
to kick	patear
to punch	dar un puñetazo
to slap	dar una bofetada

to wink	guiñar el ojo
to make a face	hacer una mueca
to make a sign	hacer una seña
to frown	fruncir el ceño
to shrug one's shoulders	encogerse de hombros
to nod	asentir con la cabeza
to shake one's head	negar con la cabeza
to (cast a) glance	echar una ojeada
to look up	levantar la mirada
to raise one's eyes	levantar la mirada
to point at	señalar
to laugh	reírse
to smile	sonreír

yawn	bostezo
wink	guiño
glance	ojeada
kick	patada
punch	puñetazo
gesture	gesto
slap	bofetada
grimace	mueca
shrug	acción de encogerse de hombros
nod	asentimiento con la cabeza
movement	movimiento
laugh	risa
sign	seña
signal	señal
smile	sonrisa

we went there by car
fuimos allí en coche

I walk to school
voy a la escuela a pie

he ran downstairs
bajó la escalera corriendo

I ran out
salí corriendo

she ran across the street
cruzó la calle corriendo

he staggered in
entró tambaleándose

you gave me a start!
¡qué susto me has dado!

8 IDENTITY
LA IDENTIDAD

name	el nombre
to name	llamar, dar por nombre
to christen	bautizar
to call	llamar
to be called	llamarse
to nickname	apodar
to sign	firmar
to spell	deletrear
identity	identidad
signature	firma
name	nombre
surname	apellido
first name	nombre de pila
maiden name	apellido de soltera
nickname	apodo
pet name	diminutivo
initials	iniciales
Mr Martin	Señor (Sr.) Martin
Mrs Martin	Señora (Sra.) Martin
Miss Martin	Señorita (Srta.) Martin
Ms Martin	Sra. o Srta. Martin
gentlemen	(caballeros) Señores
ladies	(damas) Señoras, señoritas

sexes	los sexos
woman	mujer
lady	señora, dama
girl	niña, chica, muchacha

man	hombre
gentleman	señor, caballero
boy	niño, chico, muchacho
masculine	masculino
feminine	femenino
male	de sexo masculino, hombre
female	de sexo femenino, mujer

marital status   estado civil

to marry	casarse con
to get married (to)	casarse con
to get engaged	comprometerse
to get a divorce	divorciarse
to break off one's engagement	romper el compromiso
single	soltero
unmarried	soltero
married	casado
engaged	comprometido
divorced	divorciado
separated	separado
widowed	viudo
husband	marido
wife	mujer
ex-husband	ex-marido
ex-wife	ex-mujer
fiancé	novio
fiancée	novia
bridegroom	novio (en la boda)
bride	novia (en la boda)
newly-weds	recién casados
widower	viudo
widow	viuda

orphan	huérfano
ceremony	ceremonia
birth	nacimiento
christening	bautizo
death	muerte
funeral	funeral
wedding	boda
engagement	compromiso
divorce	divorcio

| to be born | nacer |
| to die | morir |

| **address** | **domicilio** |

to live	vivir
to rent	alquilar (inquilino)
to let	alquilar (propietario)
to share	compartir

address	domicilio
home address	domicilio particular
floor	planta, piso
storey	planta, piso
postcode	código postal

number	número
phone number	número de teléfono
telephone directory	guía de teléfonos
owner	propietario
landlord	propietario, casero
tenant	inquilino
neighbour	vecino

in/to town	en la ciudad
in the suburbs	en los suburbios
in the country	en el campo

religion	la religión

Catholic	católico
Protestant	protestante
Anglican	anglicano
Muslim	musulmán
Jewish	judío
atheist	ateo

what is your name?
¿cómo te llamas?

my name is Richard Johnson
mi nombre es Richard Johnson

what is your first name?
¿cuál es tu nombre de pila?

her name is Mary
se llama Mary

how do you spell that?
¿cómo se escribe?

where do you live?
¿dónde vives?

I live in Durham/in England
vivo en Durham/en Inglaterra

it's on the third floor
es en la tercera planta

I live in Sauchiehall Street/at 27 Byres Road
vivo en Sauchiehall Street/en Byres Road, 27

I've been living here for a year/since 1987
vivo aquí desde hace un año/1987

I'm living at Gerry's
vivo en casa de Gerry

Ver también el capítulo **29 LA FAMILIA Y LOS AMIGOS.**

9 AGE
LA EDAD

| young | joven |
| old | viejo |

age	edad
birth	nacimiento
life	vida
youth	juventud
adolescence	adolescencia
old age	tercera edad
date of birth	fecha de nacimiento
birthday	cumpleaños

baby	bebé
child	niño/a
teenager	adolescente
adult	adulto
grown-ups	mayores
young person	joven
young people	jóvenes
young woman	muchacha
girl	chica
young man	muchacho
old person	anciano/a
old woman	anciana
old man	anciano
old people	ancianos
pensioner	jubilado

how old are you?
¿qué edad tienes?

I'm 20 (years old)
(Tengo) 20 (años (de edad))

when were you born?
¿cuándo naciste?

on the first of March 1960
el primero de marzo de 1960

what year were you born in?
¿en qué año naciste?

I was born in Brighton in 1968
nací en Brighton en 1968

a one-month-old baby
un bebé de un mes

an eight-year-old child
un niño de ocho años

a sixteen-year-old girl
una chica de dieciséis años

a woman of about thirty
una mujer de unos treinta años

a middle-aged man
un hombre de mediana edad

an elderly person
una persona mayor

10 WORK AND JOBS
EL TRABAJO Y LAS PROFESIONES

to work	trabajar
to intend to	tener la intención de
to become	llegar a ser
to be interested in	interesarse por
to study	estudiar
to go on a course	hacer un curso
to be ambitious	ser ambicioso
to have experience	tener experiencia
to lack experience	no tener experiencia
to be unemployed	no tener empleo
to be on the dole	estar en el paro
to look for work	buscar trabajo
to apply for a job	presentarse para un trabajo
to reject	rechazar
to accept	aceptar
to take on	contratar
to find a job	encontrar trabajo
to be successful	tener éxito
to earn	ganar, cobrar
to earn a living	ganarse la vida
to get	cobrar
to pay	pagar
to take a holiday	tomarse unas vacaciones
to take a day off	tomarse el día libre
to lay off	licenciar, cesar
to dismiss	despedir
to resign	renunciar
to leave	irse
to retire	jubilarse
to be on strike	estar en huelga
to go on strike	hacer/ponerse en huelga
to strike	estar en/hacer huelga

difficult	difícil
easy	fácil
interesting	interesante
exciting	apasionante
boring	aburrido
dangerous	peligroso
important	importante
useful	útil

people at work

las profesiones

accountant	contable
actor/actress	actor/actriz
advisor	consejero, asesor
army officer	oficial del ejército
air hostess	azafata
ambulance driver	conductor de ambulancia
architect	arquitecto
artist	artista
astronaut	astronauta
astronomer	astrónomo
baker	panadero
bank clerk	empleado de banco
bookseller	librero
boss	jefe
bricklayer	albañil
builder	constructor
bus driver	conductor de autobús
businessman	empresario
businesswoman	empresaria
butcher	carnicero
careers adviser	consejero vocacional
caretaker	encargado
carpenter	carpintero
cartoonist	humorista gráfico
chambermaid	doncella
chemist	farmacéutico

civil servant	funcionario
cleaner	mujer de la limpieza
comedian	comediante, cómico, humorista
computer programmer	programador de ordenadores
computer scientist	informático
confectioner	pastelero
cook	cocinero
counsellor	consejero
customs officer	funcionario de aduanas
dealer	proveedor
decorator	decorador
delivery man	mensajero
dentist	dentista
director	director
doctor	doctor, médico
dressmaker	modista
driver	conductor
dustman	barrendero
electrician	electricista
employee	empleado
engineer	ingeniero
executive	ejecutivo
farmer	granjero
fashion designer	diseñador
fireman	bombero
fisherman	pescador
fishmonger	pescadero
florist	florista
foreman	capataz
furniture dealer	vendedor de muebles
garage owner	dueño de un taller
garage mechanic	mecánico de un taller
gardener	jardinero
graphic artist	diseñador gráfico
grocer	tendero
hairdresser	peluquero
head teacher	director de escuela
inspector	inspector

instructor	monitor
interpreter	intérprete
janitor	encargado
jeweller	joyero
journalist	periodista
judge	juez
labourer	peón, jornalero
lawyer	abogado
lecturer	docente universitario
lorry driver	camionero
maid	doncella
manager	gerente
mechanic	mecánico
merchant	comerciante (mayorista)
miner	minero
minister	pastor (religioso)
model	modelo
monk	monje
nanny	niñera
newsagent	quiosquero
newsreader	periodista (radio y TV)
nun	monja
nurse	enfermera
nursery teacher	maestra de jardín de infancia
office worker	empleado de oficina
owner	propietario (del local)
painter	pintor
painter and decorator	pintor y decorador
pastrycook	pastelero
pharmacist	farmacéutico
photographer	fotógrafo
physicist	físico
pilot	piloto
policeman	agente de policía
politician	político
postman	cartero
priest	sacerdote
primary school teacher	maestro de escuela

professor	profesor titular
psychiatrist	psiquiatra
psychologist	psicólogo
receptionist	recepcionista
removal man	mozo de mudanzas
reporter	reportero
sailor	marino, marinero
sales representative	representante (comercial)
salesperson	vendedor
scientist	científico
secretary	secretaria
semi-skilled worker	obrero capacitado
senior executive	ejecutivo superior
servant	sirviente
shepherd(ess)	pastor(a)
shoe repairer	zapatero
shop assistant	vendedor
shopkeeper	comerciante
singer	cantante
social worker	asistente social
soldier	soldado
star	estrella
steward	auxiliar de vuelo
student	estudiante
surgeon	cirujano
switchboard operator	telefonista
tailor	sastre
taxi driver	taxista
teacher	maestro, profesor
technician	técnico
tourist guide	guía de turismo
translator	traductor
TV announcer	presentador de TV
(shorthand) typist	(taqui)mecanógrafo
unskilled worker	obrero no especializado
usherette	acomodadora
veterinary surgeon	veterinario
waiter	camarero

waiter/waitress	camarero/a
watchmaker	relojero
worker	obrero
writer	escritor

the world of work   el mundo del trabajo

worker	trabajador, obrero
working people	trabajadores
unemployed person	parado
job applicant	solicitante (de un trabajo)
employer	patrón
boss	jefe, patrón
management	dirección
staff	personal
personnel	personal
apprentice	aprendiz
trainee	aprendiz
striker	huelguista
retired person	jubilado
pensioner	pensionista
trade unionist	sindicalista

the future	el futuro
career	carrera (trayectoria)
profession	profesión
occupation	ocupación
trade	comercio, oficio
job	oficio, puesto, empleo, trabajo
job with good prospects	empleo con futuro
temporary job	trabajo temporal
part-time job	trabajo de media jornada
full-time job	trabajo de jornada completa
openings	salidas
situation	situación
post	puesto
training course	curso de formación

apprenticeship	aprendizaje
qualifications	diplomas, títulos, referencias
training	formación
continuing education	formación permanente
certificate	certificado
diploma	diploma
degree	título (superior)
employment	empleo
sector	sector
research	investigación
computer science	informática
business	negocios
industry	industria
company	compañía, empresa
office	oficina
factory workshop	fábrica
shop	tienda
laboratory	laboratorio
work	trabajo
holidays	vacaciones
leave	licencia
maternity leave	permiso por maternidad
sick leave	permiso por enfermedad
paid holiday	vacaciones pagadas
(work) contract	contrato (de trabajo)
job application	solicitud de empleo
form	forma
ad(vertisement)	anuncio
jobs advertised	ofertas de empleo
interview	entrevista
salary	salario
pay	paga
wages	sueldos
income	ingresos

flexitime	horario flexible
forty-hour week	semana de 40 horas

taxes	impuestos
pay rise	aumento de sueldo
business trip	viaje de negocios
redundancy	cese
pension	jubilación
trade union	sindicato
strike	huelga

what does he/she do (for a living)?
¿a qué se dedica?

he's a doctor
es médico

she's an architect
es arquitecto

what would you like to do when you grow up?
¿qué querrías ser de mayor?

what are your plans for the future?
¿qué proyectos tiene?

I'd like to be an artist
querría ser artista

I am planning to study medicine
pienso estudiar medicina

the most important thing as far as I am concerned is the pay/free time
lo que más me importa es la paga/el tiempo libre

what I'm most interested in is biochemistry
lo que más me interesa es la bioquímica

11 CHARACTER AND BEHAVIOUR
EL CARÁCTER Y LA CONDUCTA

to behave	comportarse
to control oneself	dominarse
to allow	permitir
to obey	obedecer
to disobey	desobedecer
to prevent (from)	evitar (que)
to forbid	prohibir
to disapprove of	reprobar
to scold	regañar
to be told off	recibir una reprimenda
to get angry	enfadarse
to apologize	pedir disculpas
to forgive	perdonar
to punish	castigar
to reward	recompensar, premiar
to dare	atreverse
apology, apologies	disculpa, disculpas
arrogance	arrogancia
behaviour	conducta, comportamiento
caution	cautela, prudencia
character	carácter
charm	encanto
cheerfulness	alegría
coarseness	grosería
craftiness	astucia
cruelty	crueldad
delight	alegría
embarrassment	vergüenza
envy	envidia
excuse	excusa
folly	locura
good behaviour	buena conducta

honesty	honestidad
humanity	humanidad
humour	humor
impatience	impaciencia
insolence	insolencia
instinct	instinto
intelligence	inteligencia
intolerance	intolerancia
jealousy	celos
joy	alegría
kindness	amabilidad
laziness	pereza
madness	locura
mischief	travesura
mood	humor
nastiness	malicia
naughtiness	desobediencia
obedience	obediencia
patience	paciencia
politeness	cortesía
pride	orgullo
punishment	castigo
reward	recompensa
rudeness	descortesía
sadness	tristeza
shyness	timidez
skilfulness	habilidad
telling-off	reprimenda, bronca
timidity	timidez
trick	truco, broma
spite	rencor, maldad
vanity	vanidad
absent-minded	distraído
amusing	divertido
angry	enfadado
arrogant	arrogante
astute	astuto

bad	malo
boastful	engreído
boring	aburrido
brave	valiente
calm	tranquilo
careful	prudente
cautious	cauto
charming	encantador
cheeky	insolente
cheerful	alegre
clumsy	torpe
coarse	grosero
cruel	cruel
curious	curioso
discreet	discreto
disobedient	desobediente
embarrassed	avergonzado
envious	envidioso
friendly	amistoso
funny	divertido
good	bueno
decent	honesto, decente
happy	feliz
hard-working	trabajador
honest	honesto, honrado
impatient	impaciente
impulsive	impulsivo
indifferent	indiferente
insolent	insolente
instinctive	instintivo
intelligent	inteligente
intolerant	intolerante
jealous	celoso
joyful	alegre
kind	amable
lazy	perezoso
mad	loco
mischievous	travieso

modest	modesto
nasty	malvado
natural	natural
naughty	travieso
naïve	ingenuo
nice	agradable, simpático, majo
obedient	obediente
optimistic	optimista
patient	paciente
pessimistic	pesimista
pleasant	agradable
polite	cortés
poor	pobre
proud	orgulloso
quiet	tranquilo, callado
reasonable	sensato
respectable	respetable
respectful	respetuoso
rude	grosero, descortés
sad	triste
scatterbrained	atropellado
sensible	sensato
sensitive	sensible
serious	serio
shrewd	astuto
shy	tímido
silly	tonto
skilful	hábil
sorry	apenado
strange	extraño
stubborn	testarudo
stupid	estúpido
surprising	sorprendente
talkative	hablador
terrific	estupendo
timid	tímido
tolerant	tolerante
unhappy	desdichado

untidy   desordenado
vain   vanidoso
wily   astuto
witty   ingenioso

I think she's very nice
me parece muy simpática

he's in a (very) good/bad mood
está de (muy) buen/mal humor

he is good/ill-natured
tiene buen/mal carácter

she was kind enough to lend me her car
tuvo la amabilidad de dejarme su coche

I'm sorry to disturb you
siento molestarle

I'm (really) sorry
lo siento (muchísimo)

I do apologize
le ruego que me disculpe

he apologized to the teacher for being cheeky
pidió disculpas al maestro por su insolencia

12 EMOTIONS
LAS EMOCIONES

anger

ira

to become angry with	enfadarse con
to lose one's temper with	impacientarse con
to be angry	estar enfadado
to be fuming	echar humo
to become indignant at	indignarse con
to get excited	ponerse nervioso
to get worked up	ponerse nervioso
to shout	gritar
to hit	golpear
to slap (on the face)	abofetear

anger	ira, enfado
indignation	indignación
tension	tensión
stress	estrés
cry	grito
shout	grito
blow	golpe
slap (on the face)	bofetada

annoyed	irritado
angry	enfadado
furious	furioso
sulky	resentido

annoying	irritante

sadness

la tristeza

to weep	llorar
to cry	llorar

to burst into tears	romper a llorar
to sob	sollozar
to sigh	suspirar
to distress	inquietar
to shatter (fam.)	preocupar
to shock	impresionar
to dismay	consternar
to disappoint	desilusionar
to disconcert	desconcertar
to depress	deprimir
to move	conmover
to affect	afectar
to touch	conmover
to trouble	turbar
to take pity on	sentir lástima por
to comfort	consolar
to console	consolar
grief	pena, dolor
sorrow	tristeza, dolor
sadness	tristeza
disappointment	desilusión
depression	depresión
homesickness	añoranza
melancholy	melancolía
nostalgia	nostalgia
suffering	sufrimiento
tear	lágrima
sob	sollozo
sigh	suspiro
failure	fracaso
bad luck	mala suerte
misfortune	desgracia

sad	triste
shattered (fam.)	destrozado
disappointed	desilusionado
depressed	deprimido
distressed	apenado
moved	conmovido
gloomy	melancólico
heartbroken	afligido

fear and worries
el miedo y las preocupaciones

to be frightened (of)	tener miedo (de)
to fear	temer
to frighten	asustar
to worry (about)	preocuparse (de)
to tremble	temblar
to dread	temer
terror	terror
dread	terror, miedo
fright	miedo
shiver	escalofríos
shock	impresión
fearful	temeroso
afraid	asustado
frightening	que da miedo
petrified	muerto de miedo
worried	preocupado
nervous	nervioso
anxious	angustiado
trouble	problemas
anxieties	preocupaciones
problem	problema
worry	preocupación

happiness	la alegría y la felicidad
to enjoy oneself	divertirse
to be delighted about	estar encantado con
to laugh (at)	reírse (de)
to burst out laughing	romper a reír
to have the giggles	tener un ataque de risa
to smile	sonreír
happiness	felicidad, alegría
joy	alegría, dicha
satisfaction	satisfacción
laugh	risa
burst of laughter	carcajada
laughters	risas
smile	sonrisa
love	amor
love at first sight	amor a primera vista
luck	suerte
success	éxito
surprise	sorpresa
pleased	encantado
happy	feliz, contento
in love	enamorado

he frightened them
los asustó

he's frightened of dogs
los perros le dan miedo

I'm very sorry to hear that
cuánto lo siento (al oír malas noticias)

he/she misses his/her brother
echa de menos a su hermano

I'm homesick
echo de menos a mi familia

she is lucky
tiene suerte

he's in love with Susan
está enamorado de Susan

13 THE SENSES
LOS SENTIDOS

sight	la vista
to see	ver
to look at	mirar
to watch	mirar, observar
to observe	observar
to examine	examinar
to study closely	observar detenidamente
to see again	volver a ver
to catch a glimpse of	entrever
to squint	bizquear
to glance at	echar una ojeada
to stare at	mirar fijamente
to peek at	espiar
to switch on (the light)	encender
to switch off (the light)	apagar
to dazzle	deslumbrar
to blind	cegar
to light up	iluminar
to appear	aparecer
to disappear	desaparecer
to reappear	reaparecer
to watch TV	ver la tele
sight	vista (sentido y paisaje)
vision	visión
view	vista, perspectiva
colour	color
light	luz
brightness	claridad
darkness	oscuridad

eye	ojo
glasses	gafas
sunglasses	gafas de sol
contact lenses	lentillas de contacto
magnifying glass	lupa
binoculars	binoculares
microscope	microscopio
telescope	telescopio
Braille	Braille
bright	brillante
light	claro
dazzling	deslumbrante
dark	oscuro

hearing — el oído

to hear	oír
to listen to	escuchar
to whisper	susurrar
to sing	cantar
to hum	tararear
to whistle	silbar
to buzz	zumbar
to rustle	crujir
to creak	crujir
to ring	sonar
to thunder	tronar
to deafen	ensordecer
to be silent	callar
to prick up one's ears	aguzar los oídos
to slam the door	dar un portazo
to break the sound barrier	romper la barrera del sonido
hearing	oído
noise	ruido

sound	sonido
voice	voz
racket	bullicio, tumulto
din	estruendo, estrépito
echo	eco
whisper	susurro
song	canción
buzzing	zumbido
crackling	crepitar
explosion	explosión
creaking	crujido
ringing	sonido
thunder	trueno
ear	oído
loudspeaker	altavoz
public address system	sistema de altavoces
intercom	interfono
earphones	audífonos
headset	cascos
personal stereo	walkman (R)
radio	radio
Morse code	código Morse
earplugs	tapones para los oídos
hearing aid	auricular
noisy	ruidoso
silent	silencioso
loud	fuerte, alto
faint	débil, bajo
deafening	ensordecedor
deaf	sordo
hard of hearing	que no oye bien

touch — el tacto

to touch	tocar
to stroke	acariciar

to tickle	hacer cosquillas
to rub	frotar
to knock	golpear
to hit	golpear
to scratch	rascar
touch	tacto
stroke	caricia
blow	golpe
handshake	apretón de manos
fingertips	yemas de los dedos
smooth	liso
rough	áspero
soft	suave
hard	duro
hot	caliente
warm	templado, tibio
cold	frío

taste	**el gusto**
to taste	saber, probar
to drink	beber
to eat	comer
to lick	lamer
to sip	sorber
to gobble up	devorar
to savour	saborear
to swallow	tragar
to chew	masticar
to salt	salar
to sweeten	endulzar
to add spices	condimentar
taste	gusto
mouth	boca

tongue	lengua
saliva	saliva
taste buds	papilas gustativas
appetite	apetito
appetizing	apetitoso
mouthwatering	que hace la boca agua
delicious	delicioso
horrible	desagradable
sweet	dulce
salted/salty	salado
tart	ácido
sour	agrio
bitter	amargo
spicy	condimentado
hot	picante
strong	fuerte
tasteless	soso, insípido

smell

el olfato

to smell	oler
to smell of	oler
to sniff	oler
to stink	oler mal, heder, apestar
to be fragrant	perfumar
to perfume	perfumar
to smell nice/awful	oler bien/mal
(sense of) smell	olfato
smell	olor
scent	olor
perfume	perfume
aroma	aroma
fragrance	fragancia
stench	hedor
smoke	humo

nose	nariz
nostrils	orificios nasales
fragrant	fragante
scented	perfumado
stinking	maloliente, hediondo
smoky	ahumado
odourless	inodoro

it's dark in the cellar
está oscuro en el sótano

it makes my mouth water
se me hace la boca agua

I heard the child singing
oí cantar al niño

this coffee tastes of soap
este café sabe a jabón

this chocolate tastes funny
este chocolate sabe raro

it feels soft
es suave (al tacto)

it smells good/bad
huele bien/mal

this room smells of smoke
en esta habitación huele a humo

it's stuffy in here
aquí falta el aire

Ver también los capítulos **4 EL CUERPO HUMANO, 6 LA SALUD, 16 LA COMIDA y 62 LOS COLORES.**

14 LIKES AND DISLIKES
GUSTOS Y PREFERENCIAS

to like	gustarle a uno
to love	gustarle mucho a uno
to adore	encantarle a uno
to be fond of	encantarle a uno
to be keen on	apasionarle a uno
to appreciate	apreciar
to feel like	tener ganas de, apetecerle a uno
to dislike	no gustarle a uno
to detest	detestar
to hate	odiar
to despise	despreciar
to prefer	preferir
to choose	elegir
to compare	comparar
to hesitate	dudar
to decide	decidir
to need	necesitar
to want	querer
to wish	desear
to wish for	desear
love	amor
taste	gusto
liking	inclinación
loathing	repugnancia
hate	odio
contempt	desprecio

choice	elección, opción
comparison	comparación
preference	preferencia
contrary	contrario
opposite	contrario, opuesto
contrast	contraste
difference	diferencia
similarity	similitud
need	necesidad
wish	deseo
different (from)	distinto (de)
equal (to)	igual (a)
identical (to)	idéntico (a)
the same (as)	el mismo (que)
similar (to)	similar (a)
like	como
in comparison with	comparado con
in relation to	relacionado con
more	más
less	menos
a lot	mucho
enormously	enormemente
a great deal	mucho
a lot more/less	mucho más/menos
quite a lot more/less	muchísimo más/menos

I quite like doing drama
me gusta mucho hacer teatro

red is my favourite colour
el rojo es mi color preferido

I prefer coffee to tea
prefiero el café al té

I'd rather stay at home
preferiría quedarme en casa

I feel like going out tonight
tengo ganas de salir esta noche

they'd like to go to the pictures
les gustaría ir al cine

15 DAILY ROUTINE AND SLEEP
LA VIDA COTIDIANA Y EL SUEÑO

to wake up	despertarse
to get up	levantarse
to stretch	desperezarse
to yawn	bostezar
to be half asleep	estar semidormido
to have a long lie	remolonear
to oversleep	quedarse dormido
to open the curtains	abrir las cortinas
to pull up the blinds	levantar las cortinas
to switch the light on	encender la luz
to wash	asearse
to have a wash	asearse
to wash one's face	lavarse la cara
to wash one's hands	lavarse las manos
to brush one's teeth	cepillarse los dientes
to wash one's hair	lavarse el pelo
to have a shower	darse una ducha
to have a bath	darse un baño
to soap oneself down	enjabonarse
to dry oneself	secarse
to dry one's hands	secarse las manos
to shave	afeitarse
to go to the toilet	ir al servicio
to get dressed	vestirse
to do one's hair	peinarse (mujer)
to brush/comb one's hair	cepillarse/peinarse
to put on one's make-up	maquillarse
to put in one's contact lenses	ponerse las lentillas
to put in one's false teeth	ponerse la dentadura postiza
to make the bed	hacer la cama
to switch the radio/television on	encender la radio/el televisor

to switch the radio/television off	apagar la radio/el televisor
to have breakfast	desayunar
to feed the cat/dog	dar de comer al gato/perro
to water the plants	regar las plantas
to get ready	prepararse (para salir)
to go to school	ir a la escuela
to go to the office	ir a la oficina
to go to work	ir a trabajar
to take the bus	coger el autobús
to come home	volver a casa
to go home	ir a casa
to come back from school	volver de la escuela
to come back from work	volver del trabajo
to do one's homework	hacer la tarea
to have a rest	descansar
to have a nap	echar una siesta
to have a cup of tea	tomar una taza de té
to watch television	ver la tele
to read	leer
to play	jugar
to have dinner	cenar
to lock the door	cerrar la puerta con llave
to undress	desvestirse
to draw the curtains	cerrar las cortinas
to pull down the blinds	bajar las cortinas
to go to bed	irse a la cama
to tuck in	arropar
to set the alarm (clock)	poner el despertador
to switch the light off	apagar la luz
to fall asleep	dormirse
to sleep	dormir
to doze	dormitar
to dream	soñar
to sleep badly	dormir mal
to suffer from insomnia	tener insomnio
to have a sleepless night	pasar la noche en vela

washing   el aseo

soap	jabón
towel	toalla
bath towel	toalla de baño
hand towel	toalla de mano
flannel	guante de baño
sponge	esponja
brush	cepillo
comb	peine
toothbrush	cepillo de dientes
toothpaste	pasta de dientes
shampoo	champú
bubble bath	baño de espuma
bath salts	sales de baño
deodorant	desodorante
toilet paper	papel higiénico
hair dryer	secador de pelo
scales	báscula de baño
bed	cama
pillow	almohada
sheet	sábana
pillowcase	funda de almohada
blanket	manta
extra blanket	manta suplementaria
duvet	edredón
mattress	colchón
bedspread	cubrecama
electric blanket	manta eléctrica
hot-water bottle	bolsa de agua caliente
usually	habitualmente
in the morning	por la mañana
in the evening	por la noche
every morning	todas las mañanas
then	luego

I set my (alarm) clock for seven
pongo mi despertador para las siete

I am an early riser
soy madrugador

I go to bed early/late
suelo acostarme temprano/tarde

I slept like a log
dormí como un tronco

Ver también los capítulos **16 LA COMIDA, 17 LAS TAREAS DOMÉSTICAS, 23 MI HABITACIÓN y 54 LOS SUEÑOS.**

16 FOOD
LA COMIDA

to eat	comer
to drink	beber
to taste	probar

meals	**las comidas**
breakfast	desayuno
coffee break	descanso para el café
brunch	desayuno y almuerzo juntos
lunch	almuerzo
tea	té, merienda-cena
dinner	cena
supper	cena, cena ligera
picnic	picnic
snack	tentempié

courses	**los platos**
appetizer	aperitivo
starter	entrada
hors d'oeuvre	entremeses
soup	sopa
main course	plato principal
sweet	postre
cheese	queso

drinks	**las bebidas**
water	agua
mineral water	agua mineral
fizzy mineral water	agua mineral con gas
milk	leche

(semi-) skimmed milk	leche (semi)desnatada
tea	té
lemon tea	té con limón
tea with milk	té con leche
(black) coffee	café (solo)
white coffee	café con leche
herb tea	infusión
hot chocolate	chocolate caliente
soft drink	bebida sin alcohol
orange squash	bebida con naranja
orange juice	zumo de naranja
fresh orange juice	zumo de naranja natural
apple juice	zumo de manzana
Coke (R)	Coca-Cola (R)
lemonade	limonada
alcoholic drink	bebida alcohólica
shandy	cerveza con gaseosa
cider	sidra
beer	cerveza
bitter	cerveza inglesa (amarga)
stout	cerveza negra
lager	cerveza rubia
malt whisky	whisky de malta
blended whisky	whisky (mezcla)
wine	vino
rosé	rosado
claret	bordeaux
burgundy	borgoña
champagne	champán
aperitif	aperitivo
liqueur	licor
brandy	coñac

seasonings and herbs — los condimentos y las finas hierbas

salt	sal
pepper	pimienta

sugar	azúcar
mustard	mostaza
vinegar	vinagre
oil	aceite
garlic	ajo
onion	cebolla
spices	especias
herbs	finas hierbas
parsley	perejil
thyme	tomillo
basil	albahaca
tarragon	estragón
mint	menta
chives	cebollinos, cebolletas
cinnamon	canela
bay leaf	hoja de laurel
nutmeg	nuez moscada
clove	clavo de olor
ginger	jengibre
sauce	salsa
mayonnaise	mahonesa
French dressing	vinagreta

breakfast — el desayuno

bread	pan
wholemeal bread	pan integral
French loaf	barra (de pan)
bread and butter	pan con mantequilla
slice of bread and honey	rebanada de pan con miel
toast	tostada
croissant	croissant
butter	mantequilla
margarine	margarina
jam	dulce, mermelada
marmalade	mermelada de naranja
honey	miel
cornflakes	copos de maíz

fruit	la fruta
piece of fruit	(una) fruta
apple	manzana
pear	pera
apricot	albaricoque
peach	melocotón
plum	ciruela
nectarine	nectarina
melon	melón
pineapple	piña
banana	plátano
orange	naranja
grapefruit	pomelo
tangerine	mandarina
lemon	limón
strawberry	fresa
raspberry	frambuesa
blackberry	mora
redcurrant	grosella
cherry	cereza
bunch of grapes	racimo de uvas

vegetables	las legumbres
vegetable	legumbre
peas	guisantes
green beans	judías verdes
leeks	puerros
potato	patata
mashed potatoes	puré de patatas
jacket potatoes	patatas (con piel)
roast/boiled potatoes	patatas asadas/hervidas
chips	patatas fritas
crisps	patatas fritas (de bolsa)
carrot	zanahoria
cabbage	col
cauliflower	coliflor

Brussels sprouts	coles de Bruselas
lettuce	lechuga
spinach	espinaca
mushroom	champiñón
artichoke	alcachofa
asparagus	espárrago
(green) pepper	pimiento (verde)
aubergine	berenjena
broccoli	brócoli
courgette	calabacín
corn	maíz
radish	rábano
tomato	tomate
cucumber	pepino
avocado	aguacate
salad	ensalada
rice	arroz

meat	**carne**

pork	cerdo
veal	venado
beef	vaca
lamb	cordero
mutton	cordero
chicken	pollo
turkey	pavo
duck	pato
poultry	ave

steak	filete
steak and chips	filete con patatas fritas
escalope	escalope
joint	asado
roast beef	rosbif
leg of lamb	pata de cordero
stew	estofado
mince	carne picada

hamburger	hamburguesa
kidneys	riñones
liver	hígado
ham	jamón
liver pâté	paté de hígado de cerdo
black pudding	morcilla
sausages	salchichas
(garlic) sausage	salchicha al ajo
bacon	beicon

fish   el pescado

cod	bacalao
herring	arenque
sardines	sardinas
sole	lenguado
tuna fish	atún
trout	trucha
(smoked) salmon	salmón (ahumado)
whiting	pescadilla

seafood	mariscos
lobster	langosta
oysters	ostras
prawns	gambas
mussels	mejillones

eggs   huevos

egg	huevo
boiled egg	huevo pasado por agua
fried egg	huevo frito
poached egg	huevo escalfado
bacon and eggs	huevos con beicon
ham and eggs	huevos con jamón
scrambled eggs	huevos revueltos
omelette	tortilla francesa

pasta	**las pastas**
noodles	tallarines
spaghetti	espagueti
macaroni	macarrones

hot dishes	**platos calientes**
soup	sopa
roast lamb with mint sauce	cordero asado a la salsa de menta
roast beef and Yorkshire pudding	ternera asada con budín de Yorkshire
roast pork with apple sauce	cerdo asado con salsa de manzana
beef casserole	estofado
cauliflower cheese	coliflor con salsa de queso
fish and chips	pescado frito con patatas

cooked	hecho
overdone	pasado
well done	muy hecho
medium	a punto
rare	poco hecho
covered in breadcrumbs	empanado
stuffed	relleno
fried	frito
boiled	hervido
roast	asado

desserts	**los postres**
apple tart	tarta de manzana
whipped cream	nata montada
cheesecake	tarta de queso
trifle	dulce de bizcocho borracho
mince pie	tarta con frutas
ice cream	helado
vanilla ice cream	helado de vainilla

yoghurt	yogur
chocolate mousse	mousse de chocolate

sweet things dulces

chocolate	chocolate
milk chocolate	chocolate con leche
plain chocolate	chocolate (puro)
bar of chocolate	barra de chocolate
biscuits	galletas
shortbread	torta dulce seca y quebradiza
scone	bollo
cake	pastel
ice lolly	polo
sweets	bombones
mints	bombones de menta
chewing gum	goma de mascar, chicle

tastes los sabores

sweet	dulce
salty	salado
savoury	salado
bitter	amargo
sour	agrio
spicy	condimentado
strong	fuerte
hot	picante
tasteless	soso, insípido

tobacco el tabaco

to smoke	fumar
to light	encender
to put out	apagar
to stub out	apagar
cigarette	cigarrillo

cigar	puro
non-filter cigarette	cigarrillo sin filtro
stub	colilla
pipe	pipa
match	cerilla
lighter	encendedor
packet of cigarettes	paquete de cigarrillos
packet of tobacco	paquete de tabaco
pipe tobacco	tabaco para pipa
box of matches	caja de cerillas
ash	ceniza
ashtray	cenicero
smoke	humo

have you got a light?
¿tienes fuego?

Ver también los capítulos **5 ¿CÓMO SE SIENTE?, 17 LAS TAREAS DOMÉSTICAS, 60 LAS CANTIDADES** y **61 DESCRIPCIÓN DE COSAS.**

17 HOUSEWORK
LAS TAREAS DOMÉSTICAS

chores	tareas domésticas
to do the housework	ocuparse de las tareas domésticas
to cook	cocinar
to prepare a meal	preparar una comida
to do the washing-up	lavar los platos
to do the washing	lavar la ropa
to clean	limpiar
to sweep	barrer
to dust	quitar el polvo
to vacuum	pasar la aspiradora
to wash	lavar
to rinse	aclarar
to dry	secar
to throw away/out	tirar a la basura
to tidy up (one's room)	ordenar (la habitación)
to put away (one's things)	guardar (sus cosas)
to make the beds	hacer las camas
to prepare	preparar
to cut	cortar
to slice	cortar en rodajas
to grate	rallar
to peel	pelar
to be boiling	estar hirviendo
to boil	hervir
to fry	freír
to roast	asar
to grill	asar a la parrilla
to toast	tostar
to set the table	poner la mesa
to clear the table	quitar la mesa

to iron	planchar
to darn	zurcir
to mend	reparar, remendar
to use	usar
to look after	ocuparse de
to help	ayudar
to give a hand	echar una mano

people who work in the house

los que trabajan en la casa

housewife	ama de casa
cleaner	mujer de la limpieza
home help	asistenta
maid	doncella
au pair girl	chica au pair
baby sitter	niñera
childminder	niñera de guardería

electrical appliances

los electrodomésticos

vacuum cleaner	aspiradora
washing machine	lavadora
spin-dryer	secadora (centrífuga)
tumble-drier	secadora (aire)
iron	plancha
sewing machine	máquina de coser

mixer	batidora
food processor	procesadora
coffee grinder	molinillo de café
microwave (oven)	horno de microondas
fridge	nevera
refrigerator	refrigerador
freezer	congelador
dishwasher	lavavajilla
cooker	cocina

oven	horno
gas	gas
electricity	electricidad
toaster	tostador
electric kettle	calentador eléctrico de agua
coffee-maker	cafetera eléctrica

household items — utensilios

ironing board	tabla de planchar
broom	escoba
dustpan and brush	recogedor y escoba
brush	cepillo
rag	trapo
floorcloth	trapo de suelo, bayeta
cloth	trapo
tea towel	bayeta
dish drainer	escurridor
bowl	bol
tea cosy	cubre tetera
duster	trapo del polvo
oven glove	agarradera
clothes horse	secador, tendedero
washing-up liquid	detergente (vajilla)
washing powder	detergente (ropa)
saucepan	cacerola
frying pan	sartén
casserole dish	cazuela
pressure cooker	olla a presión
chip pan	freidora
rolling pin	rodillo
chopping board	tabla
tin opener	abrelatas
bottle opener	abrebotellas
corkscrew	sacacorchos
whisk	batidora

cutlery	**los cubiertos**
spoon	cuchara
teaspoon	cucharilla
dessert spoon	cucharilla de postre
soup spoon	cuchara de sopa
tablespoon	cucharón
fork	tenedor
knife	cuchillo
kitchen knife	cuchillo de cocina
bread knife	cuchillo para pan
potato peeler	pelapatatas

dishes	**la vajilla**
dishes	vajilla
place mat	mantel individual
plate	plato (grande)
saucer	plato (pequeño)
cup	taza
glass	vaso
wine glass	copa
soup plate	plato hondo
dish	plato
butter dish	mantequera
soup tureen	sopera
bowl	tazón
saltcellar	salero
pepper pot	pimentero
sugar bowl	azucarera
teapot	tetera
coffeepot	cafetera
milk jug	jarra de leche

my father does the dishes
mi padre lava los platos

my parents share the housework
mis padres comparten las tareas domésticas

Ver también los capítulos **16 LA COMIDA** *y* **24 LA CASA.**

18 SHOPPING
DE COMPRAS

to buy	comprar
to cost	costar
to spend	gastar
to exchange	cambiar (dinero)
to pay	pagar
to give change	dar la vuelta (dinero)
to sell	vender
to sell at a reduced price	vender (saldos)
to go shopping	ir de compras
to do the shopping	hacer la compra
cheap	barato
expensive	caro
free	gratis
reduced	rebajado
on special offer	oferta especial
second-hand	de segunda mano
customer	cliente
shop assistant	vendedor

shops	tiendas
baker's	panadería
bookshop	librería
butcher's	carnicería
cake shop	pastelería
chemist's	farmacia
shoe repairer's	zapatero
sweet shop	confitería
dairy	venta de productos lácteos
delicatessen	alimentos importados
department store	grandes almacenes

dry cleaner's	tintorería
fishmonger's	pescadería
grocer's	ultramarinos
haberdasher's	mercería
hardware shop	ferretería
indoor market	mercado
ironmonger's	ferretería
jeweller's	joyería
launderette	lavandería (automática)
laundry	lavandería
leather goods shop	marroquinería
market	mercado
news stand	puesto de periódicos
off-licence	licorería
record shop	tienda de discos
shoe shop	zapatería
shop	tienda
shopping centre	centro comercial
souvenir shop	tienda de *souvenirs*
sports shop	tienda de deportes
stationer's	papelería
supermarket	supermercado
— shop	tienda de —
tobacconist and newsagent's	prensa y tabaco
travel agent's	agencia de viajes
florist's	floristería
greengrocer's	verdulería
hairdresser's	peluquería
optician's	óptica
photographer's	fotografía
bag	bolsa
plastic bag	bolsa de plástico
shopping bag	bolsa de la compra
shopping basket	cesta de la compra
(supermarket) trolley	carrito (de supermercado)

instructions for use	instrucciones de uso
price	precio
till	caja
change	vuelta
cheque	cheque
credit card	tarjeta de crédito
receipt	recibo
sales	saldos, rebajas
counter	mostrador
department	departamento
fitting room	probador
escalator	escalera mecánica
first floor	primera planta
lift	ascensor
shop window	escaparate
size	talla, número

I'm going to the grocer's
voy a la tienda de ultramarinos/al autoservicio

can I help you?
¿en qué puedo servirle?

I would like (I'd like) two pounds of apples please
un kilo de manzanas, por favor

have you got any bananas?
¿tiene Vd. plátanos?

anything else?
¿algo más?

that's all, thank you
nada más, gracias

how much is this?
¿cuánto cuesta?

that comes to 20 pounds
son 20 libras en total

can I pay by cheque?
¿puedo pagar con un cheque?

do you take credit cards?
¿acepta tarjetas de crédito?

where is the shoe department?
¿dónde se encuentra la sección calzado?

I love window-shopping
me encanta salir a mirar escaparates

Ver también los capítulos **2 LA ROPA Y LA MODA, 10 EL TRABAJO Y LAS PROFESIONES y 31 EL DINERO.**

19 SPORT
EL DEPORTE

to train	entrenar
to dive	zambullirse, bucear
to jump	saltar
to play	jugar
to run	correr
to throw	lanzar
to serve	servir
to shoot	disparar
to ski	esquiar
to skate	patinar
to swim	nadar
to gallop	galopar
to trot	trotar
to go horse riding	montar a caballo
to play football/volleyball	jugar al fútbol/voleibol
to go hunting	ir de caza
to go fishing	ir de pesca
to go skiing	esquiar
to score a goal	marcar un gol
to be in the lead	estar en el primer puesto
to beat a record	batir un récord
to win	ganar
to lose	perder
to beat	derrotar
professional	profesional
amateur	no profesional/aficionado

types of sport
los deportes

aerobics	aerobic
American football	fútbol americano
athletics	atletismo

backstroke	(natación) estilo espalda
badminton	badminton
basketball	baloncesto
boxing	boxeo
breast-stroke	(natación) estilo braza
butterfly-stroke	(natación) estilo mariposa
canoeing	piragüismo
crawl	(natación) estilo crol
cricket	cricket
cross-country skiing	esquí de fondo
cycling	ciclismo
diving	bucear
fencing	esgrima
fishing	pesca deportiva
football	fútbol
gliding	planeo
golf	golf
gymnastics	gimnasia
hang-gliding	ala delta
high jump	salto de altura
hill-walking	senderismo
hockey	hockey
horse riding	equitación
hunting	caza deportiva
ice hockey	hockey sobre hielo
jogging	footing
judo	judo
karate	karate
long jump	salto de longitud
mountaineering	montañismo
parachuting	paracaidismo
physical training	culturismo
potholing	espeleología
rock climbing	escalada
roller skating	patinaje (sobre ruedas)
rowing	remo
rugby	rugby
running	carrera

sailing	navegación
shooting	tiro
skating	patinaje
skiing	esquí
soccer	fútbol
squash	squash
surfboarding	surf
swimming	natación
table tennis	tenis de mesa
tennis	tenis
volleyball	voleibol
walking	marcha
water-skiing	esquí acuático
weight-lifting	halterofilia
winter sports	deportes de invierno
wrestling	lucha libre

equipment   equipo

ball	balón
bat	bate
bicycle	bicicleta
bowl	bola
boxing gloves	guantes de boxeo
canoe	canoa
fishing rod	caña de pescar
football boots	botas de fútbol
golf club	palo de golf
hockey stick	stick
net	red
parallel bars	paralelas
saddle	montura
sailboard	tabla de windsurf
sailing boat	velero
skis	esquís
stopwatch	cronómetro
surfboard	tabla de surf
tennis racket	raqueta de tenis

places	lugares
changing rooms	vestuarios
cycle track	velódromo
diving board	trampolín
golf course	campo de golf
ice-rink	pista de patinaje
pitch	campo/terreno de juego
field	campo/terreno de juego
ground	campo/terreno de juego
showers	duchas
(ski) slope	pista de esquí
sports centre	centro deportivo
stadium	estadio
swimming pool	piscina
tennis court	pista/cancha de tenis

competing	la competición
training	entrenamiento
team	equipo
winning team	equipo ganador
race	carrera
stage	etapa
scrum	*melée*
time-trial	carrera contra reloj
sprint	sprint
match	partido
half-time	intermedio, medio tiempo
goal	gol
score	tanteo
draw	empate
extra time	prórroga
penalty kick	penalty
game	partido
marathon	maratón
sporting event	competición
championship	campeonato

tournament	torneo
rally	rally
event	prueba
heat	prueba eliminatoria
final	final
record	récord
world record	récord mundial
world cup	copa del mundo
Olympic Games	Juegos Olímpicos
Cup Final	Final de Copa
Five Nations Cup	Torneo de las Cinco Naciones
medal	medalla
cup	copa

participants   participantes

a — player	jugador de —
athlete	atleta
boxer	boxeador
cyclist	ciclista
diver	saltador
football player	jugador de fútbol
goalkeeper	portero
mountaineer	montañero
racing cyclist	corredor (ciclista)
runner	corredor
skater	patinador
skier	esquiador
sportsman	deportista (hombre)
sportswoman	deportista (mujer)
tennis player	jugador de tenis, tenista
winger	extremo
referee	árbitro
coach	entrenador
champion	campeón

runner-up	segundo
ski instructor	monitor de esquí
swimming instructor	monitor de natación
supporter	hincha
winner	ganador, vencedor

he does a lot of sport
hace mucho deporte

she's a black-belt in judo
es cinturón negro de judo

the two teams drew
los dos equipos empataron

they had to go into extra time
tuvieron que pasar a la prórroga

the runner crossed the finishing line
el corredor cruzó la línea de llegada

we put on a spurt
hicimos un esfuerzo supremo

ready, steady, go!
preparados— listos— ¡ya!

Ver también el capítulo **2 LA ROPA Y LA MODA.**

20 LEISURE AND HOBBIES
TIEMPO LIBRE Y AFICIONES

to be interested in	interesarse por
to enjoy oneself	divertirse
to be bored	aburrirse
to have the time to	tener tiempo para
to read	leer
to draw	dibujar
to paint	pintar
to do DIY	hacer bricolaje
to build	construir
to take photographs	sacar fotos
to collect	coleccionar
to cook	cocinar
to do gardening	ocuparse del jardín
to sew	coser
to knit	hacer punto
to dance	bailar
to sing	cantar
to play	tocar (instrumento musical)
to take part in	participar en
to win	ganar
to lose	perder
to beat	derrotar
to cheat	hacer trampa
to bet	apostar
to stake	apostar, arriesgar
to go for walks	dar paseos
to go for a cycle ride	dar un paseo en bicicleta
to cycle	andar en bicicleta
to go for a run in the car	dar una vuelta en coche
to go fishing	ir de pesca

interesting	interesante
fascinating	fascinante
very keen on	apasionado por
boring	aburrido
hobbies	aficiones
pastime	pasatiempo
spare time	tiempo libre
reading	lectura
book	libro
strip cartoon	chistes
comic book	tebeo, cómic
magazine	revista
poetry	poesía
poem	poema
drawing	dibujo
painting	pintura
brush	pincel
sculpture	escultura
pottery	cerámica
DIY	bricolaje
model-making	modelismo
hammer	martillo
screwdriver	destornillador
nail	clavo
screw	tornillo
drill	taladro
saw	sierra
file	lima
glue	cola
paint	pintura
photography	fotografía
photograph	foto
camera	cámara
film	película

cinema	cine
cine-camera	cámara de cine
video	vídeo
computing	informática
computer	ordenador
computer games	juegos de ordenador
stamp collecting	filatelia
stamp	sello
album	álbum
collection	colección
cooking	cocina
recipe	receta (de cocina)
gardening	jardinería
watering-can	regadera
spade	pala
rake	rastrillo
dressmaking	costura
sewing machine	máquina de coser
needle	aguja
thread	hilo
thimble	dedal
pattern	patrón
knitting	punto
knitting needle	aguja (de hacer punto)
ball of wool	ovillo
embroidery	bordado
dancing	baile
ballet	ballet
music	música
singing	canto
song	canción
choir	coro
piano	piano
violin	violín
cello	violoncelo

clarinet	clarinete
flute	flauta
recorder	flauta dulce
guitar	guitarra
drum	tambor
drums	batería
game	juego
toy	juguete
board game	juego de mesa
chess	ajedrez
draughts	damas
jigsaw	puzzle, rompecabezas
cards	cartas
dice	dados
bet	apuesta
walk	paseo
drive	paseo en coche
outing	excursión
cycling	ciclismo
bicycle	bicicleta
birdwatching	ornitología
fishing	pesca

I like reading/knitting
me gusta leer/hacer punto

Helen is very keen on the cinema
Helen es una fanática del cine

I do pottery/sculpture/tapestry
hago cerámicas/esculturas/tapices

I take ballet lessons
tomo clases de ballet

I play the piano
toco el piano

whose turn is it?
¿a quién le toca (jugar)?

it's your turn
le toca (jugar) a usted

Ver también los capítulos **19 EL DEPORTE, 21 LOS MEDIOS DE COMUNICACIÓN, 22 VIDA NOCTURNA y 43 CAMPING-CARAVANAS.**

21 THE MEDIA
LOS MEDIOS DE COMUNICACIÓN

to listen to	escuchar
to watch	mirar
to read	leer
to switch on	encender
to switch off	apagar
to switch over	cambiar de emisora/canal

radio — la radio

radio (set)	radio
transistor	radio a transistores
walkman (R)	walkman (Sony)
personal stereo	walkman
(radio) broadcast/programme	programa de radio
news bulletin	boletín informativo
news	noticias
interview	entrevista
radio quiz	juego por radio
charts	lista de éxitos
a single	un sencillo
an LP	un elepé
commercial	un anuncio
listener	oyente
reception	recepción
interference	interferencia

television — la televisión

TV	tele(visión)
television set	televisor
colour television	televisor en color
black and white television	televisor blanco y negro

screen	pantalla
aerial	antena
channel	canal
programme	programa
news	noticias
television news	telediario
film	película
documentary	documental
series	serie
soap opera	telenovela
commercial	anuncio
newsreader	periodista
announcer	locutor
presenter	presentador
viewer	espectador
cable TV	TV por cable
video (recorder)	vídeo

press   la prensa

newspaper	periódico
morning/evening paper	periódico de la mañana/tarde
weekly	semanario
magazine	revista
gutter press	prensa amarilla
journalist	periodista
reporter	reportero
chief editor	redactor jefe
press report	informe
article	artículo
headlines	titulares
(regular) column	rúbrica
sports column	sección de deportes
agony column	consultorio sentimental
advertisement	anuncio
advertising	publicidad
classified ads	anuncios clasificados

press conference	conferencia de prensa
news agency	agencia de noticias
circulation	tirada

on short/medium/long wave
en onda corta/media/larga

on the radio/air
en el aire

what's on television tonight?
¿qué hay en la tele esta noche?

live from Wimbledon
en vivo desde Wimbledon

to go out	salir
to dance	bailar
to go dancing	ir a bailar
to invite	invitar
to give	dar
to bring	traer
to book	reservar
to applaud	aplaudir
to accompany	acompañar
to kiss	besar
to go/come home	ir/volver a casa
together	juntos
alone	solo

shows   espectáculos

theatre	teatro
costume	vestuario
stage	escenario
set	decorados
wings	bastidores
curtain	telón
cloakroom	guardarropa
orchestra	orquesta
stalls	patio de butacas
dress circle	principal
box	palco
gods	galería, gallinero
interval	entreacto
programme	programa
play	obra

comedy	comedia
tragedy	tragedia
opera	ópera
operetta	opereta
ballet	ballet
concert of classical music	concierto de música clásica
rock concert	concierto de rock
show	espectáculo
circus	circo
fireworks	fuegos artificiales
audience	público
usherette	acomodadora
actor/actress	actor/actriz
dancer	bailarín
conductor	director de orquesta
musician	músico
magician	mago
clown	payaso

the cinema — el cine

film	película
cinema	cine
ticket office	taquilla
showing	pase
ticket	entrada
screen	pantalla
projector	proyector
cartoon	dibujo animado
documentary	documental
historical film	película histórica
horror film	película de terror
science fiction film	película de ciencia ficción
western	película del oeste
film with subtitles	v. o. subtitulada
subtitles	subtítulos

dubbing	doblaje
black and white film	película en blanco y negro
director	director
film maker	realizador
star	estrella

discos and dances   discotecas y bailes

dance	baile
dance hall	salón de baile
disco(theque)	discoteca
nightclub	cabaret
bar	bar
record	disco
dance floor	pista de baile
rock-and-roll	rock-and-roll
pop group	grupo pop
folk (music)	música folk
slow number	canción lenta
DJ	pinchadiscos
singer	cantante
bouncer	portero

eating out   en el restaurante

restaurant	restaurante
pub	café, bar, pub
pizzeria	pizzería
fast food	bar de comidas rápidas
waiter	camarero
waitress	camarera
head waiter	maître
menu	carta
dish of the day	plato del día
wine list	carta de vinos

bill	cuenta
tip	propina

Chinese restaurant	restaurante chino
Italian restaurant	restaurante italiano
Indian restaurant	restaurante indio

entertain — recibir invitados

guests	invitados
host	anfitrión
hostess	anfitriona
present	regalo
drink	bebida
cocktail	cóctel
crisps	patatas fritas
peanuts	cacahuetes
party	fiesta
celebration	celebración
birthday	cumpleaños
birthday cake	pastel de cumpleaños
candles	velas

encore!
¡otra!

would you like to dance with me?
¿le apetece bailar?

service included
servicio incluido

*Ver también el capítulo **16 LA COMIDA**.*

23 MY ROOM
MI HABITACIÓN

floor	piso
(fitted) carpet	moqueta
ceiling	techo, cielorraso
door	puerta
window	ventana
curtains	cortinas
shutters	postigos
blinds	persianas
wallpaper	papel pintado

furniture   los muebles

bed	cama
bedspread	cubrecama
bedside table	mesilla de noche
chest of drawers	cómoda
dressing table	tocador
wardrobe	ropero
cupboard	armario
desk	escritorio
chair	silla
stool	taburete
armchair	sillón
shelves	estantes
bookcase	librería

objects   los objetos

lamp	lámpara
bedside lamp	lámpara de noche
lampshade	pantalla
alarm clock	despertador

radio alarm	radio reloj
rug	alfombra
poster	póster, cartel
picture	cuadro
photograph	fotografía
mirror	espejo
book	libro
magazine	revista
comic	tebeo
diary	diario
game	juego
toy	juguete

come in
pase / adelante

Ver también los capítulos **15 LA VIDA COTIDIANA** y **24 LA CASA**.

to live	vivir
to move (house)	mudarse
to move in/into	mudarse a
rent	alquiler
mortgage	hipoteca
removal	mudanza
tenant	inquilino
owner	propietario
caretaker	conserje
removal man	mozo de mudanzas
house	casa
detached house	chalé
semi-detached house	chalé semiadosado
terraced house	chalé adosado
flat	apartamento
boarding house	pensión
block of flats	bloque de apartamentos
studio flat	estudio
furnished flat	apartamento amueblado

parts of the house   partes de la casa

basement	sótano
ground floor	planta principal
first floor	primera planta
loft	buhardilla
cellar	bodega
room	habitación
attic room	desván, ático

floor/storey	planta
landing	rellano
stairs	escaleras
step	escalón
banister	pasamanos
lift	ascensor
wall	muro, pared
roof	tejado
roof tile	teja
slate	pizarra
chimney	chimenea
fireplace	hogar (de la chimenea)
door	puerta
front door	puerta de entrada
window	ventana
bay window	mirador
French window	puerta ventana
balcony	balcón
garden	jardín
vegetable garden	huerta
patio	patio
garage	garaje
upstairs	arriba
downstairs	abajo

the rooms

las habitaciones

entrance (hall)	vestíbulo, entrada
corridor	pasillo
kitchen	cocina
dining room	comedor
living room	sala de estar
sitting room	salón
lounge	salón
study	despacho
library	biblioteca

bedroom	dormitorio
bathroom	cuarto de baño
toilet	aseo
loo (fam.)	aseo
utility room	habitación de servicio
veranda	veranda, galería, terraza

furniture los muebles

chair	silla
armchair	sillón
rocking chair	mecedora
sofa	sofá
table	mesa
coffee table	mesa de café
cupboard	armario
dresser	cómoda con espejo
bookcase	librería
sideboard	aparador
trolley	mesilla de ruedas
desk	escritorio
shelves	estanterías
grandfather clock	reloj de péndulo
piano	piano
bed	cama
wardrobe	armario ropero
shower	ducha
bath	bañera
washbasin	lavabo
bidet	bidé
bathroom cabinet	armario del baño

objects and fittings objetos y accesorios

aerial	antena
ashtray	cenicero
bathmat	felpudo de baño

bathroom mirror	espejo de baño
bathroom scales	báscula de baño
bin	papelera
bolt	pasapuré
bowl	tazón
candle	vela
candlestick	candelabro
(fitted) carpet	moqueta
central heating	calefacción central
coat rack	perchero
cushion	cojín
doorbell	timbre
door-handle	picaporte
door knob	pomo
doormat	felpudo de entrada
frame	marco
key	llave
keyhole	cerradura
ladder	escalera (de mano)
lamp	lámpara
letter box	buzón
magazine rack	revistero
mirror	espejo
ornament	adorno
photograph	fotografía
picture	cuadro
poster	póster, cartel
radiator	radiador
reproduction	reproducción
rug	alfombra
sink	fregadero
standard lamp	lámpara de pie
tap	grifo
tile	azulejo
umbrella stand	paragüero
vase	jarrón
wallpaper	papel pintado
wastepaper basket	papelera

transistor	transistor
radio	radio
portable television set	televisor portátil
stereo	cadena estéreo
tape recorder	magnetófono
cassette recorder	grabador de cassette
radio cassette player	radiocassette (reproductor)
record	disco
cassette	cassette
compact disc	disco compacto
typewriter	máquina de escribir
computer	ordenador
video (recorder)	vídeo (grabador)
video cassette	vídeo cassette
video (film)	cinta de vídeo
word-processor	procesador de textos

the garden — el jardín

lawn	césped
grass	hierba
weeds	malas hierbas
flowerbed	macizos
greenhouse	invernadero
garden furniture	muebles de jardín
deckchair	tumbona
sunbed	hamaca
wheelbarrow	carretilla
lawnmower	cortadora de césped
watering can	regadera
hose	manguera
barbecue	barbacoa
garden shed	cobertizo
path	sendero
gate	verja

Ver también los capítulos **17 LAS TAREAS DOMÉSTICAS** y **23 MI HABITACIÓN.**

25 THE CITY
LA CIUDAD

town	pueblo, ciudad
city	ciudad
village	pueblo
suburbs	suburbios, arrabales
outskirts	las afueras, cercanías
district	barrio
surroundings	alrededores
area	área
built-up area	área urbana
industrial estate	zona industrial
residential district	barrio residencial
old town	casco antiguo
town/city centre	centro de la ciudad
university halls of residence	residencia universitaria
housing estate	ciudad obrera
dormitory town	ciudad dormitorio
slums	barrios pobres
avenue	avenida
boulevard	bulevar, ronda
cul-de-sac	calle sin salida
ring road	carretera de circunvalación
square	plaza
embankment	terraplén
quay	muelle
road	calle, carretera
street	calle
shopping street	calle comercial
pedestrian precinct	área peatonal
narrow street	calle estrecha
alleyway	callejuela, pasaje
roadway	calzada
pavement	acera

car park	aparcamiento
parking meter	parquímetro
underground car park	aparcamiento subterráneo
paving	pavimento
gutter	alcantarilla
sewers	cloacas
park	parque
public gardens	jardines
cemetery	cementerio
bridge	puente
harbour	puerto
airport	aeropuerto
railway station	estación de ferrocarril
stadium	estadio

buildings   edificios

building	edificio
block (of flats)	bloque
public building	edificio público
town hall	ayuntamiento
Law Courts	Tribunales de Justicia
tourist information office	oficina de información turística
post office	correos
library	biblioteca
police station	comisaría
school	escuela
barracks	cuartel
fire station	departamento de bomberos
prison	prisión
factory	fábrica
community centre	centro social
arts centre	centro cultural
theatre	teatro
cinema	cine
opera (house)	ópera

museum	museo
art gallery	galería de arte
castle	castillo
palace	palacio
tower	torre
cathedral	catedral
church	iglesia
chapel	capilla
steeple	campanario
synagogue	sinagoga
mosque	mezquita
memorial	monumento conmemorativo
monument	monumento
war memorial	monumento a los caídos
statue	estatua
fountain	fuente

people — la gente

city dwellers	gente de ciudad
inhabitant	habitante
passer-by	transeúnte
onlookers	curiosos
tourist	turista
tramp	mendigo

Greater London
el «gran» Londres (área urbana)

she lives in town
vive en la ciudad

we're going (in)to town
vamos a la ciudad

he commutes from Leicester to London
vive en Leicester y trabaja en Londres

Ver también los capítulos **18 DE COMPRAS, 22 VIDA NOCTURNA, 26 EL COCHE, 41 EL TRANSPORTE PÚBLICO, 45 TÉRMINOS GEOGRÁFICOS y 64 LAS INDICACIONES.**

26 CAR
EL COCHE

to drive	conducir
to start up	arrancar
to slow down	aminorar la marcha
to brake	frenar
to accelerate	acelerar
to change gear	cambiar de marcha
to stop	detenerse
to park	aparcar
to overtake	pasar
to do a U-turn	girar (media vuelta)
to switch on one's headlights	encender los faros
to switch off one's headlights	apagar los faros
to flash one's headlights	hacer señas con los faros
to cross	cruzar
to go through	atravesar
to check	verificar, comprobar
to give way	ceder el paso
to have right of way	tener prioridad
to hoot	tocar el claxon
to skid	derrapar
to break down	tener una avería
to run out of petrol	quedarse sin gasolina
to fill up	llenar el depósito
to change a wheel	cambiar una rueda
to tow	remolcar
to repair	reparar
to commit an offence	cometer una infracción
to keep to the speed limit	respetar el límite de velocidad
to break the speed limit	superar el límite de velocidad
to jump a red light	saltarse un semáforo
to ignore a stop sign	saltarse un stop

vehicles	vehículos
car	coche
automatic	coche automático
second-hand car	coche de segunda mano
old banger	chatarra
two/four-door car/hatchback	coche de dos / cuatro / cinco puertas
estate car	furgoneta
saloon	turismo
racing car	coche de carrera
sports car	coche deportivo
car with front-wheel drive	coche con tracción delantera
car with four-wheel drive	coche con tracción a las cuatro ruedas
right-hand drive car	coche con volante a la derecha
convertible	descapotable
c.c.	cilindrada
make	marca
taxi	taxi
lorry	camión
articulated lorry	camión con remolque
van	camioneta
breakdown lorry	camión grúa
motorbike	motocicleta
moped	ciclomotor
scooter	vespino (R)
Dormobile (R)	coche caravana
caravan	caravana
trailer	remolque

road users	los usuarios de la carretera
motorist	automovilista
driver	conductor

reckless driver	conductor imprudente
Sunday driver	dominguero
passenger	pasajero
taxi driver	taxista
lorry driver	camionero
motorcyclist	motociclista
cyclist	ciclista
hitch-hiker	autoestopista
pedestrian	peatón

car parts

partes del automóvil

accelerator	acelerador
battery	batería
body	carrocería
bonnet	capó
boot	maletero
brakes	frenos
bumper	parachoques
car radio	radio
carburettor	carburador
chassis	chasis
choke	estárter
clutch	embrague
dashboard	tablero
door	puerta
engine	motor
exhaust	tubo de escape
fanbelt	correa del ventilador
fifth gear	quinta velocidad
first gear	primera velocidad
fog lamp	faro antiniebla
fourth gear	cuarta velocidad
front/back seat	asiento delantero/trasero
gear lever	palanca de cambio
gearbox	caja de cambios
gears	marchas

handbrake	freno de mano
heating	calefacción
horn	claxon
hub cap	tapacubos
ignition	encendido
indicator	intermitente
jack	gato
lights	faros
lock	cerradura
(rear-view) mirror	espejo (retrovisor)
neutral	punto muerto
number plate	placa
oil/petrol gauge	indicador de nivel de aceite/ gasolina
overdrive	quinta velocidad
pedal	pedal
petrol cap	tapón del depósito
petrol tank	depósito de gasolina
radiator	radiador
rear lights	pilotos traseros
reverse	marcha atrás
roof rack	baca
seat belt	cinturón de seguridad
second gear	segunda velocidad
sidelights	luces laterales
spare part	recambio
spare wheel	rueda de recambio
spark plug	bujía
speedometer	velocímetro
steering wheel	volante
suspension	suspensión
third gear	tercera velocidad
tickover speed	ralentí
transmission	transmisión
tyre	neumático
wheel	rueda
window	ventanilla
windscreen	parabrisas

windscreen wiper	limpiaparabrisas
wing	guardabarros
petrol	gasolina
two-star (petrol)	carburante (dos tiempos)
four-star (petrol)	gasolina súper
unleaded petrol	gasolina sin plomo
fuel	combustible
diesel	diesel
oil	aceite
antifreeze	anticongelante
exhaust fumes	gases del escape

problems   problemas

garage	taller mecánico
car mechanic	mecánico
repairs	reparaciones
petrol station	gasolinera
petrol pump	surtidor
insurance	seguro
insurance policy	póliza de seguro
driving licence	permiso de conducir
car registration book	permiso de circulación
green card	carta verde
road tax disc	adhesivo (imp. de circulac.) auto
Highway Code	código de circulación
speed	velocidad
speeding	exceso de velocidad
offence	infracción
parking ticket	multa por aparcamiento incorrecto
fine	multa
right of way	prioridad
no parking (sign)	(señal de) prohibido aparcar
flat tyre	pinchazo
breakdown	avería

traffic jam	atasco
diversion	desvío
roadworks	obras
black ice	placa de hielo
visibility	visibilidad

driving along   la circulación

traffic	tráfico
road map	mapa de carreteras
road	carretera
main road	carretera nacional
B road	carretera provincial
motorway	autovía
motorway bypass	carretera de circunvalación
one-way street	calle de dirección única
lane	carril
road sign	señal de tráfico
stop sign	stop
traffic lights	semáforo
pavement	acera
pedestrian crossing	paso de cebra
bend	curva
central reservation	carril central
crossroads	cruce
junction	cruce, acceso
roundabout	glorieta
toll	peaje
service area	área de servicios
level crossing	paso a nivel
parking meter	parquímetro

what make is it? - it's a Rover
¿de qué marca es? - es un Rover

fill her up, please
lleno, por favor

could you check the tyre pressure/oil level?
¿podría revisar la presión de los neumáticos/el nivel de aceite?

get into third gear!
¡mete la tercera!

he dipped his headlights/switched to sidelights
bajó las luces

she was doing 70 miles an hour
iba a 110 (kilómetros por hora)

in England, they drive on the left
en Inglaterra, se conduce por la izquierda

this car does — miles to the gallon
este coche hace — kilómetros por litro

fasten your seat belt!
¡ponte el cinturón de seguridad!

he lost his driving licence
le retiraron el permiso de conducir

I sat my driving test on Monday - did you pass?
me examiné para el carné el lunes -¿has pasado?

you've gone the wrong way
te has equivocado de camino

Ver también el capítulo 51 ACCIDENTES.

to grow	crecer
to flower	florecer
to wither away	marchitarse
to bark	ladrar
to bleat	balar
to mew	maullar
to moo	mugir
to neigh	relinchar

landscape   el paisaje

field	campo
meadow	prado
forest	bosque
wood	bosque
clearing	claro
orchard	huerto
moor	páramo
marsh	pantano, ciénaga
desert	desierto
jungle	selva, jungla
swamp	pantano

plants   las plantas

tree	árbol
shrub	arbusto, maleza
bush	arbusto
root	raíz
trunk	tronco
branch	rama
twig	ramita

shoot	brote
bud	brote, capullo
flower	flor
blossom	capullo
leaf	hoja
foliage	follaje
bark	corteza
treetop	copa del árbol
pine cone	piña
pine needles	agujas
horse chestnut	castaña
acorn	bellota
berry	baya
clover	trébol
(edible) mushroom	seta (comestible)
toadstool	seta venenosa
fern	helecho
grass	hierba
heather	brezo
holly	acebo
ivy	hiedra
mistletoe	muérdago
moss	musgo
reed	junco, caña
seaweed	alga
vine	vid
vineyard	viñedo
weeds	malas hierbas

trees los árboles

conifer	conífera
deciduous tree	árbol de hojas caducas
evergreen	árbol de hojas perennes
ash tree	fresno
beech	haya

birch	abedul
cedar	cedro
chestnut tree	castaño
cypress	ciprés
elm	olmo
fir tree	abeto
horse chestnut tree	castaño
maple tree	arce
oak	roble
pine tree	pino
plane tree	plátano
poplar	chopo, álamo
walnut tree	nogal
weeping willow	sauce llorón
yew tree	tejo

fruit trees — los árboles frutales

almond tree	almendro
apple tree	manzano
apricot tree	albaricoque
cherry tree	cerezo
fig tree	higuera
lemon tree	limonero
orange tree	naranjo
peach tree	melocotonero
pear tree	peral
plum tree	ciruelo

flowers — las flores

wild flower	flor silvestre
stem	tallo
petal	pétalo
pollen	polen
anemone	anémona

buttercup	ranúnculo
carnation	clavel
chrysanthemum	crisantemo
cornflower	aciano, azulina
daffodil	narciso
daisy	margarita
dandelion	diente de león
geranium	geranio
hawthorn	espino
honeysuckle	madreselva
hyacinth	jacinto
iris	iris
jasmine	jazmín
lilac	lila
lily	flor de lis
lily of the valley	lirio de los valles
orchid	orquídea
petunia	petunia
poppy	amapola
primrose	primavera
rhododendron	rododendro
rose	rosa
snowdrop	campanilla
sweetpea	guisante de olor
tulip	tulipán
violet	violeta

pets los animales domésticos

cat	gato
dog	perro
bitch	perra
goldfish	pez de colores
guinea pig	cobaya, conejillo de Indias
hamster	hámster
kitten	gatito
puppy	cachorro

farm animals	los animales de la granja
bull	toro
calf	ternero
chicken	pollo
cock	gallo
cow	vaca
donkey	burro
duck	pato
duckling	pato (cría)
ewe	oveja
foal	potro
goose	oca
hen	gallina
horse	caballo
mare	yegüa
lamb	cordero
mule	mula
nanny/billy-goat	cabra
ox	buey
pig	cerdo
sow	cerda
rabbit	conejo
ram	carnero
sheep	oveja
turkey	pavo

wild animals	animales salvajes
mammal	mamífero
fish	pez
reptile	reptil
leg	pata (extremidad)
paw	pata (extremo)
muzzle	hocico
snout	hocico, morro
tail	cola
trunk	trompa

claws	garras
antelope	antílope
bear	oso
beaver	castor
buffalo	búfalo
camel	camello
dolphin	delfín
dromedary	dromedario
elephant	elefante
fieldmouse	ratón de campo
fox	zorro
gazelle	gacela
giraffe	jirafa
hare	liebre
hedgehog	erizo
hippopotamus	hipopótamo
kangaroo	canguro
koala bear	koala
leopard	leopardo
lion(ess)	león, leona
monkey	mono
mouse	ratón
octopus	pulpo
rat	rata
seal	foca
shark	tiburón
squirrel	ardilla
stag	ciervo
doe	gamo
tiger	tigre
tortoise	tortuga
weasel	comadreja
whale	ballena
wild boar	jabalí
wolf	lobo
zebra	cebra

reptiles etc	reptiles, etc.
crocodile	cocodrilo
alligator	caimán
lizard	lagarto
snake	serpiente
rattlesnake	serpiente de cascabel
adder	víbora
grass snake	culebra
cobra	cobra
boa	boa
frog	rana
toad	sapo

birds   aves

bird	pájaro
night hunter	ave nocturna
bird of prey	ave de presa
foot	pata
claw	garra
wing	ala
beak	pico
feather	pluma
blackbird	mirlo
budgerigar (budgie)	periquito (australiano)
canary	canario
chaffinch	pinzón
crow	cuervo
cuckoo	cuco
dove	paloma
eagle	águila
falcon	halcón
flamingo	flamenco
heron	garza
kingfisher	martín pescador

lark	alondra
magpie	urraca
nightingale	ruiseñor
ostrich	avestruz
owl	búho, lechuza
parrot	loro
peacock	pavo real
penguin	pingüino
pheasant	faisán
pigeon	paloma
robin	petirrojo
seagull	gaviota
sparrow	gorrión
starling	estornino
stork	cigüeña
swallow	golondrina
swan	cisne
(blue) tit	herrerillo
vulture	buitre

insects etc

insectos, etc.

ant	hormiga
bee	abeja
bumblebee	abejorro
butterfly	mariposa
caterpillar	oruga
cockroach	cucaracha
flea	pulga
fly	mosca
grasshopper	saltamontes
ladybird	mariquita
mosquito	mosquito
spider	araña
wasp	avispa

Ver también los capítulos **44 EN LA PLAYA** y **45 TÉRMINOS GEOGRÁFICOS.**

28 WHAT'S THE WEATHER LIKE?
¿QUÉ TIEMPO HACE?

to rain	llover
to snow	nevar
to be freezing	helar
to blow	soplar (el viento)
to shine	brillar
to melt	fundirse
to get worse	empeorar
to improve	mejorar
to change	cambiar
overcast	nublado, cubierto
cloudy	nuboso
clear	despejado
sunny	soleado
stormy	tormentoso
muggy	bochornoso
dry	seco
warm	calor (agradable)
hot	calor (desagradable)
cold	frío
mild	templado
pleasant	agradable
awful	fatal
changeable	variable
damp	húmedo
rainy	lluvioso
in the sun	al sol
in the shade	a la sombra
weather	clima, tiempo
temperature	temperatura
meteorology	meteorología
weather forecast	pronóstico meteorológico

climate	clima
atmosphere	atmósfera
atmospheric pressure	presión atmosférica
improvement	mejoría
thermometer	termómetro
degree	grado
barometer	barómetro
sky	cielo

rain — la lluvia

raindrop	gota de lluvia
downpour	lluvia torrencial
shower	aguacero
sudden (short) shower	chubasco
hail	granizo
hailstone	granizo (pedrisco)
cloud	nube
cloud layer	capa de nubes
dew	rocío
drizzle	llovizna
fog	niebla
mist	bruma
puddle	charco
flood	inundación
thunderstorm	tormenta (eléctrica)
thunder	trueno
lightning	relámpago
(flash of) lightning	rayo
sunny interval	claro
rainbow	arco iris
humidity	humedad

cold weather — el frío

snow	nieve
snowflake	copo de nieve

snowfall	nevada
snowstorm	tormenta de nieve
avalanche	alud
snowball	bola de nieve
snowplough	quitanieve
snowman	muñeco de nieve
frost	helada
thaw	deshielo
(hoar)frost	escarcha
(black) ice	placa de hielo en la carretera
ice	hielo

good weather — el buen tiempo

sun	sol
ray of sunshine	rayo de sol
heat	calor
heatwave	ola de calor
scorching heat	calor agobiante
drought	sequía

wind — el viento

wind	viento
draught	corriente de aire
gust of wind	ráfaga
North wind	viento norte
breeze	brisa
hurricane	huracán
tornado	tornado
storm	tempestad

the weather is good/bad
hace buen/mal tiempo

it is 86° F (degrees Fahrenheit) in the shade
hace 30 grados a la sombra

it is minus 4
hace cuatro grados bajo cero

it's raining
llueve / está lloviendo

it's pouring
llueve / está lloviendo a cántaros

it's snowing
nieva / está nevando

it's sunny/foggy/icy
hay sol/niebla/hielo

I'm freezing cold
estoy helado

I'm sweltering
me muero de calor

the wind's blowing/it's windy
sopla/ hace viento

the sun's shining
brilla el / hace sol

it's thundering
hay truenos / truena

the weather is dreadful
hace un tiempo horrible

the family	la familia
parents	padres
mother	madre
father	padre
mum	mamá
dad	papá
child	hijo/a
baby	bebé
daughter	hija
son	hijo
adopted daughter	hija adoptiva
adopted son	hijo adoptivo
sister	hermana
twin sister	hermana melliza/gemela
brother	hermano
twin brother	hermano mellizo/gemelo
grandmother	abuela
grandfather	abuelo
grandparents	abuelos
grandchildren	nietos/as
granddaughter	nieta
grandson	nieto
great-grandmother	bisabuela
great-grandfather	bisabuelo
wife	esposa
husband	esposo
fiancée	novia
fiancé	novio
stepmother	madrastra
stepfather	padrastro
stepdaughter	hijastra
stepson	hijastro

mother-in-law	suegra
father-in-law	suegro
daughter-in-law	nuera
son-in-law	yerno
aunt	tía
uncle	tío
cousin	primo/a
niece	sobrina
nephew	sobrino
godmother	madrina
godfather	padrino
goddaughter	ahijada
godson	ahijado

friends

los amigos

friend	amigo/a
boyfriend	amigo/«novio»
girlfriend	amiga/«novia»
neighbour	vecino/a

have you got any brothers and sisters?
¿tienes hermanos?

I have no brothers or sisters
no tengo (ni) hermanos (ni) hermanas

I'm an only child
soy hijo/a único/a

my mother is expecting a baby
mi madre espera un bebé

I am the oldest
soy el/la mayor

my big brother is 17
mi hermano mayor tiene 17 años

my eldest sister is a hairdresser
mi hermana (la) mayor [la mayor de mis hermanas] es
peluquera

I'm looking after my little sister
estoy cuidando a mi hermana menor

my youngest brother sucks his thumb
mi hermano (el) menor [el menor de mis hermanos] se chupa
el dedo

you are my best friend, Paul
eres mi mejor amigo, Paul

Patricia is my best friend
Patricia es mi mejor amiga

Ver también el capítulo **8 LA IDENTIDAD.**

30 SCHOOL AND EDUCATION
LA ESCUELA Y LA EDUCACIÓN

to go to school	ir al colegio
to study	estudiar
to learn	aprender
lo learn by heart	aprender de memoria
to do one's homework	hacer los deberes / la tarea
to recite a poem	recitar un poema
to ask	preguntar
to answer	contestar
to go to the blackboard	salir a la pizarra
to know	saber
to get a pass mark	aprobar
to revise	repasar
to sit an exam	examinarse
to pass one's exams	pasar los exámenes
to fail one's exams	suspender los exámenes
to fail an exam	suspender un examen
to repeat a year	repetir el curso
to expel	expulsar (definitivo)
to suspend	expulsar (temporal)
to punish	castigar
to play truant	hacer novillos/pellas
to skive	holgazanear
absent	ausente
brilliant	brillante
clever	inteligente
gifted	con aptitudes innatas
hard-working	aplicado
inattentive	distraído
present	presente
studious	estudioso
undisciplined	indisciplinado

nursery school	preescolar
primary school	E.G.B.
secondary school	B.U.P.
comprehensive (school)	instituto de segunda enseñanza
private school, public school	colegio privado
college	institución de enseñanza superior
technical college	escuela de artes y oficios
college of further education	escuela de formación profesional
boarding school	internado
university	universidad
polytechnic	escuela politécnica

at school — en la escuela

class	clase
classroom	aula
headteacher's office	despacho del director
library	biblioteca
laboratory	laboratorio
language lab	laboratorio de idiomas
dining hall	comedor
playground	patio
gym(nasium)	gimnasio

the classroom — el aula

desk	banco, pupitre
teacher's desk	escritorio
table	mesa
chair	silla
locker	taquilla
cupboard	armario
blackboard	pizarra
chalk	tiza
duster	borrador
sponge	esponja

schoolbag	cartera
exercise book	cuaderno
book	libro
dictionary	diccionario
pencil case	estuche
ballpoint (pen)	bolígrafo
biro (R)	boli
(fountain) pen	pluma
(lead)pencil	lápiz
felt-tip (pen)	rotulador
pencil sharpener	sacapuntas
rubber	goma
paint brush	pincel
(tube of) paint	(tubo de) témpera
painting	pintura
drawing paper	papel de dibujo
easel	caballete
ruler	regla
compass	compás
set-square	escuadra
pocket calculator	calculadora de bolsillo
computer	ordenador

gym — el gimnasio

rings	anillas
rope	soga
parallel bars	paralelas
horse	caballo
trampoline	trampolín
teachers	profesores
pupils	alumnos
primary school teacher	profesor de E.G.B.
teacher	maestro, profesor
headmistress	directora

headmaster	director
headteacher	director/a
French teacher	profesor de francés
English teacher	profesor de inglés
Maths teacher	profesor de matemáticas
inspector	inspector, supervisor

pupil	alumno
schoolboy/girl	estudiante
secondary school pupil	alumno de B.U.P.
student	estudiante
boarder	interno
day-pupil	externo
dunce	burro
good pupil	buen alumno
bad pupil	mal alumno
schoolfriend	compañero de clase

teaching

la enseñanza

term	trimestre
timetable	horario
subject	asignatura
lesson	lección
class	clase (hora de)
course	curso, año escolar
French class	clase de francés
Maths class	clase de matemáticas

vocabulary	vocabulario
grammar	gramática
grammatical rule	regla gramatical
conjugation	conjugación
spelling	ortografía
writing	escritura
reading	lectura
poem	poema

sum	suma
maths	matemáticas
algebra	álgebra
arithmetic	aritmética
geometry	geometría
addition	adición
subtraction	sustracción
multiplication	multiplicación
division	división
equation	ecuación
circle	círculo
triangle	triángulo
square	cuadrado
rectangle	rectángulo
angle	ángulo
right angle	ángulo recto
surface	área, superficie
volume	volumen
cube	cubo
diameter	diámetro
history	historia
geography	geografía
science	ciencias
biology	biología
chemistry	química
physics	física
languages	idiomas
philosophy	filosofía
essay	ensayo
translation	traducción
unseen	traducción improvisada
prose	traducción inversa
music	música
drawing	dibujo
handicrafts	manualidades
physical education, PE	educación física

homework	tarea, deberes
exercise	ejercicio
problem	problema
question	pregunta
answer	respuesta, contestación
test	prueba objetiva, test
written test	prueba escrita
oral test	prueba oral
exam(ination)	examen
mistake	error
good mark	buena nota
bad mark	mala nota
result	resultado
pass mark	aprobado
report	boletín de calificaciones
prize	premio
certificate	certificado
diploma	diploma
GCSE	diploma de bachiller
A-level	diploma de bachiller
discipline	disciplina
punishment	castigo
detention	castigo (permanencia)
break	recreo, descanso
bell	timbre
school holidays	vacaciones escolares
Christmas holidays	vacaciones de Navidad
Easter holidays	vacaciones de Semana Santa
beginning of school year	comienzo del curso

to give a pupil detention
castigar (retener) a un alumno

the bell has gone
ha sonado el timbre

we had a test on English grammar
tuvimos un ejercicio de gramática inglesa

31 MONEY
EL DINERO

to buy	comprar
to sell	vender
to spend	gastar
to borrow (from)	pedir prestado (a)
to lend (to)	prestar (a)
to pay	pagar
to pay cash	pagar en efectivo
to pay by cheque	pagar con un cheque
to pay by instalments	pagar a plazos
to pay back	reintegrar
to reimburse	reembolsar
to change	cambiar
to buy on credit	comprar a crédito
to give credit	conceder / dar un crédito
to withdraw money	retirar dinero
to pay in money	depositar dinero
to save money	ahorrar dinero
to do one's accounts	hacer cuentas
to be in the red	estar en descubierto / números rojos
rich	rico
poor	pobre
broke	arruinado
millionaire	millonario
money	dinero
pocket money	dinero de bolsillo / para gastos personales
cash	efectivo
(bank) note	billete (de banco)
purse	monedero
wallet	billetera
savings	ahorros

bank	banco
savings bank	caja de ahorros
foreign exchange office	oficina de cambio
exchange rate	cotización
till	caja (registradora)
cashdesk	caja (de una tienda)
cashier's desk	caja (banco)
counter	ventanilla (banco)
cash dispenser	cajero automático
bank account	cuenta bancaria
current account	cuenta corriente
Giro account	cuenta de cheque postal
savings account	cuenta de ahorro
deposit account	cuenta de depósito
withdrawal	reintegro
transfer	transferencia
bank manager	director de banco
bank clerk	empleado bancario
bankbook	libreta
credit card	tarjeta de crédito
cheque card	carta de identificación bancaria
cheque	cheque
chequebook	chequera
traveller's cheque	cheque de viaje
Eurocheque	Eurocheque
form	formulario
postal order	giro postal
credit	crédito
debts	deudas
loan	préstamo
mortgage	hipoteca
change	dinero suelto, cambio
Swiss franc	franco suizo
currency	divisa

Stock Exchange	bolsa
share	acción
inflation	inflación
cost of living	costo de vida
budget	presupuesto
French franc	franco francés
pound sterling	libra esterlina
pence	peniques
dollar	dólar

a 10 pound note
un billete de diez libras

I'd like to change 500 French francs into pounds
querría cambiar 500 francos franceses a libras

what is the exchange rate for the French franc?
¿cuál es la cotización del franco francés?

I'd like to pay by credit card
desearía pagar con tarjeta de crédito

do you take traveller's cheques?
¿acepta cheques de viaje?

I'm saving up to buy a motorbike
estoy ahorrando para comprarme una moto

I have an overdraft of fifty pounds
tengo un descubierto de cincuenta libras

I get five pounds pocket money per week
recibo cinco libras de dinero de bolsillo por semana

I owe him twenty pounds
le debo veinte libras

I borrowed 2 000 francs from my father
le pedí 2.000 francos prestados a mi padre

I find it hard to make ends meet
me cuesta llegar a fin de mes

Ver también los capítulos **10 EL TRABAJO Y LAS PROFESIONES** y **18 DE COMPRAS.**

32 TOPICAL ISSUES
TEMAS DE ACTUALIDAD

to discuss	hablar (de)
to argue	discutir
to criticize	criticar
to defend	defender
to think	pensar
to believe	creer
to protest	protestar
for	por
against	contra
in favour of	a favor de
opposed to	en contra de
intolerant	intolerante
broad-minded	amplio de criterio
problem	problema
argument	argumento
demonstration	manifestación
society	sociedad
prejudice	prejuicio
moral	moral
mentality	mentalidad
disarmament	desarme
nuclear energy	energía nuclear
nuclear bomb	bomba atómica
peace	paz
war	guerra
acid rain	lluvia ácida
environment	medio ambiente
greenhouse effect	efecto invernadero
ozone layer	capa de ozono
poverty	pobreza

destitution	miseria
unemployment	desocupación, paro
violence	violencia
criminality	crimen
contraception	uso de anticonceptivos
abortion	aborto
euthanasia	eutanasia
homosexuality	homosexualidad
gay man	homosexual
lesbian	lesbiana
AIDS	SIDA
sexism	sexismo
male chauvinist	machista
women's liberation	liberación femenina
feminism	feminismo
equality	igualdad
prostitution	prostitución
racism	racismo
black (person)	negro (persona)
foreigner	extranjero
lifestyle	modo de vida
immigrant	inmigrante
political refugee	refugiado político
political asylum	asilo político
alcohol	alcohol
alcoholic	alcohólico
drugs	drogas
needle	jeringuilla
overdose	sobredosis
addiction	adicción
hashish	hachís
cocaine	cocaína
drug trafficking	tráfico de drogas
dealer	traficante

I agree with you
estoy de acuerdo contigo

she takes heroine
ella consume heroina

33 POLITICS
LA POLÍTICA

to govern	gobernar
to rule	gobernar, reinar
to reign	reinar
to organize	organizar
to demonstrate	manifestarse
to go to the polls	acudir a las urnas
to elect	elegir
to vote for/against	votar por/contra
to repress	reprimir
to abolish	abolir
to do away with	suprimir
to impose	imponer
to nationalize	nacionalizar
to privatize	privatizar
national	nacional
nationalist	nacionalista
international	internacional
political	político
democratic	democrático
democrat	demócrata
conservative	conservador
liberal	liberal
labour	laborista
socialist	socialista
communist	comunista
Marxist	marxista
fascist	fascista
anarchist	anarquista
capitalist	capitalista
extremist	extremista
green	verde

right wing	de derechas
left wing	de izquierdas
nation	nación
country	país
state	estado
republic	república
monarchy	monarquía
native land	patria
government	gobierno
parliament	parlamento
House of Lords	Cámara de los Lores
House of Commons	Cámara de los Comunes
Cabinet	Gabinete
constitution	constitución
Head of State	Jefe de Estado
president	presidente
vice-president (EEUU)	vicepresidente
Prime Minister	primer ministro
Chancellor of the Exchequer	Ministro de Economía (GB)
Lord Chancellor	Ministro de Justicia (GB)
minister	ministro
Foreign Secretary	Ministro de Asuntos Exteriores (GB)
Home Secretary	Ministro del Interior (GB)
MP (Member of Parliament)	miembro del Parlamento (GB)
senator	senador
politician	político
politics	política
elections	elecciones
political party	partido político
right	derecha
left	izquierda
(right to) vote	(derecho a) voto
constituency	distrito electoral
by-election	elección (legislativa) parcial

primary (EEUU)	(elecciones) primarias
ballot box	urna
candidate	candidato
election campaign	campaña electoral
first/second ballot	primera/segunda vuelta
opinion poll	sondeo de opinión
citizen	ciudadano
negotiations	negociaciones
debate	debate
law	ley
crisis	crisis
demonstration	manifestación
coup d'état	golpe de estado
revolution	revolución
human rights	derechos humanos
dictatorship	dictadura
ideology	ideología
democracy	democracia
socialism	socialismo
communism	comunismo
fascism	fascismo
capitalism	capitalismo
pacifism	pacifismo
neutrality	neutralidad
unity	unidad
freedom	libertad
public opinion	opinión pública
nobility	nobleza
aristocracy	aristocracia
middle class	clase media
working class	clase trabajadora
the people	el pueblo
king	rey
queen	reina

prince(ss)	príncipe, princesa
UN/United Nations	ONU/Naciones Unidas
EEC	CEE
European Community	Comunidad Europea
Common Market	Mercado Común

34 COMMUNICATING
COMUNICARSE

to say	decir
to tell	decir, contar
to talk	hablar, charlar
to speak	hablar
to repeat	repetir
to add	añadir
to declare	declarar
to state	afirmar
to make a statement	formular una declaración
to announce	anunciar
to express	expresar
to insist	insistir
to claim	alegar
to suppose	suponer
to doubt	dudar
to converse with	conversar con
to inform	informar
to indicate	indicar
to mention	mencionar
to promise	prometer
to shout	gritar
to yell	gritar
to shriek	chillar
to whisper	susurrar
to murmur	murmurar
to mumble	musitar
to stammer	tartamudear
to get worked up	irritarse
to reply	responder
to retort	replicar
to argue	argüir
to persuade	persuadir
to convince	convencer

to influence	influir
to approve (of)	aprobar
to contradict	contradecir
to contest	impugnar, atacar, negar
to object	objetar
to refute	refutar
to exaggerate	exagerar
to emphasize	hacer hincapié en
to predict	predecir
to confirm	confirmar
to apologize	pedir disculpas
to pretend	pretender
to deceive	engañar
to flatter	halagar, elogiar
to criticize	criticar
to slander	calumniar
to deny	negar
to admit	admitir (hechos)
to confess	confesar
to recognize	reconocer (personas/objetos)
convinced	convencido
convincing	convincente
conversation	conversación
discussion	discusión
dialogue	diálogo
interview	entrevista
monologue	monólogo
speech	discurso
lecture	conferencia
debate	debate
conference	congreso
statement	declaración
word	palabra
speech	habla
gossip	habladurías
opinion	opinión

point of view	punto de vista
argument	argumento, discusión
misunderstanding	malentendido
agreement	acuerdo
disagreement	desacuerdo
allusion	alusión
hint	indirecta, insinuación
criticism	crítica
objection	objeción
confession	confesión
microphone	micrófono
megaphone	megáfono
about	acerca de
frankly	francamente
generally	generalmente
naturally	naturalmente
of course	por supuesto
absolutely	absolutamente
really	realmente
entirely	totalmente
undoubtedly	indudablemente
maybe	tal vez
but	pero
however	sin embargo
or	o
and	y
because	porque
therefore	por lo tanto
thanks to	gracias a
in case	en caso de
despite	pese a
except	excepto
without	sin
with	con
almost	casi

is it?/ do they? etc.
¿de veras?

don't you think?, isn't it?, isn't he? etc.
¿no es así?

Ver también los capítulos **32 TEMAS DE ACTUALIDAD** y **36 EL TELÉFONO.**

35 LETTER WRITING
LA CORRESPONDENCIA

to write	escribir
to scribble	garabatear
to jot down	apuntar
to describe	describir
to type	escribir a máquina
to sign	firmar
to send	enviar
to dispatch	despachar
to seal	sellar
to put a stamp on	poner un sello en
to frank	franquear
to weigh	pesar
to post	enviar por correo
to send back	devolver
to forward	hacer seguir/llegar
to contain	contener
to correspond with	mantener correspondencia con
to receive	recibir
to reply	contestar
legible	legible
illegible	ilegible
by airmail	vía aérea
by express post	expreso
by registered mail	certificado
enc. (enclosures)	adjunto
letter	carta
mail	correo (cartas)
writing paper	papel de carta
date	fecha

signature	firma
envelope	sobre
address	dirección
addressee	destinatario
sender	remitente
postcode	código postal
stamp	sello
letter box	buzón
collection	recogida
post office	oficina de correos
counter	ventanilla
postage	tarifa postal
first class	tarifa ordinaria
second class	tarifa reducida
letter scales	pesacartas
franking machine	máquina de franquear
poste restante	lista de correos
parcel	paquete
telegram	telegrama
fax	fax
postcard	tarjeta postal
acknowledgment of receipt	acuse de recibo
form	formulario
postal order	giro postal
contents	contenido
postman	cartero
penfriend	amigo por correspondencia
handwriting	letra (caligrafía)
draft	borrador
biro (R), ballpoint (pen)	boli, bolígrafo
pencil	lápiz
(fountain) pen	pluma (estilográfica)
typewriter	máquina de escribir
word-processor	procesador de textos
note	nota
text	texto

paragraph	párrafo
sentence	oración
line	línea
word	palabra
style	estilo
continuation	continuación
quotation	cita
title	título
margin	margen
postcard	tarjeta postal
announcement	notificación, aviso
love letter	carta de amor
complaint	reclamación

Dear Sir/Madam
Estimado/a Sr./Sra.

Dear Paul/Caroline
Querido/a Pablo/Carolina

Please find enclosed
Adjunto—

Yours sincerely
Se despide de Vd. con un atento saludo

Kind regards
Un cordial saludo

love
un abrazo/beso

lots of love
muchos besos

I'd like three 19 pence stamps
tres sellos de 19 peniques, por favor

«please forward»
«se ruega remitir»

THE PHONE
EL TELÉFONO

to call	llamar
to phone	llamar por teléfono (a)
to ring	llamar por teléfono
to make a phone call	hacer una llamada
to lift the receiver	descolgar
to dial	marcar (un número)
to dial a wrong number	equivocarse de número
to hang up	colgar
to call back	volver a llamar
to answer	coger
(tele)phone	teléfono
receiver	auricular
earpiece	receptor
dialling tone	tono de marcar
dial	disco
phone book	guía telefónica
yellow pages	páginas amarillas
phone box	cabina telefónica
phonecard	tarjeta telefónica
token	ficha
long-distance call	conferencia
local call	llamada local
dialling code	prefijo
number	número
wrong number	número equivocado
enquiries	información (telefónica)
emergency	emergencia
operator	operador/a
engaged	comunicando
out of order	no funciona

he phoned his mother
llamó por teléfono a su madre

the phone's ringing
está sonando el teléfono

who's speaking?
¿quién es?

it's Peter speaking
soy Peter

hello, this is Peter speaking
hola, soy Peter

I'd like to speak to Martin
¿podría hablar con Martin?

speaking
soy yo

hold on
no cuelgue

it's engaged
comunica / está comunicando

I'm sorry, he's not in
lo siento, no está

would you like to leave a message?
¿quiere dejar algún recado?

who's calling?
¿de parte de quién?

sorry, I've got the wrong number
perdón, me he equivocado de número

my number is two two four zero one six
mi número es el dos, dos, cuatro, cero, uno, seis

to greet	saludar
to introduce	presentar
to express	expresar
to thank	agradecer
to wish	desear
to congratulate	felicitar
to apologize	pedir disculpas

hello	hola
good morning	buenos días
good afternoon	buenas tardes
hi!	¡hola!
bye!, cheerio!	¡adiós! ¡hasta luego!
goodbye	¡adiós!
good evening	buenas tardes/noches (al llegar)
good night	buenas noches (al partir)
pleased to meet you	encantado
how are you?	¿cómo estás?
how are things?	¿qué tal?
see you soon	hasta pronto
see you later	hasta luego
see you tomorrow	hasta mañana
have a good day!	¡que te vaya bien!
enjoy your meal!	¡buen provecho!
good luck!	¡buena suerte!
have a good trip!	¡buen viaje!
safe journey!	¡buen viaje!
welcome!	¡bienvenido!
sorry!	¡perdón!
sorry?	¿perdón?
I'm sorry	lo siento
watch out!	¡cuidado!

yes	sí
no	no
no thanks	no, gracias
(yes) please	(sí) por favor
please	por favor
thank you	gracias
thank you very much	muchas gracias
not at all	de nada
cheers!	¡salud!
bless you	¡Jesús!
OK	de acuerdo
so much better	tanto mejor
too bad	qué mal
never mind	no importa

festivities   fiestas

Merry Christmas!	¡Feliz Navidad!
Happy New Year!	¡Feliz Año Nuevo!
Best Wishes!	¡Felicidades!
Happy Easter!	¡Felices Pascuas!
Happy Birthday!	¡Feliz Cumpleaños!
Congratulations!	¡Enhorabuena!

may I introduce Angela Barker?
le presento a Angela Barker

please accept my best wishes
acepte mis mejores deseos

please accept my sympathy
mi más sentido pésame

may I wish you a happy birthday
le deseo un feliz cumpleaños

I don't mind
me da igual

it's a pleasure/ you're welcome
no hay de qué/ de nada

it depends
depende

I'm sorry
(lo) siento

I'm terribly sorry
cuánto lo siento

I'm sorry to bother you
lamento molestarle

do you mind if I smoke?
¿le importa que fume?

excuse me please, could you tell me —?
usted perdone; ¿podría decirme —?

what a pity!
¡qué pena!

to go on holiday	irse de vacaciones
to book	reservar
to rent	alquilar
to confirm	confirmar
to cancel	cancelar, anular
to get information (about)	informarse (sobre)
to gather information (about)	reunir información (sobre)
to pack	preparar el equipaje
to pack one's suitcases	hacer las maletas
to make out a list	hacer una lista
to take	llevar
to forget	olvidar
to take out insurance	sacar un seguro
to renew one's passport	renovar el pasaporte
to get vaccinated	vacunarse
to search	facturar
to declare	declarar
to smuggle	pasar de contrabando
to check	controlar
holidays	vacaciones
travel agent's	agencia de viajes
tourist information service	servicio de información turística
brochure	folleto
leaflet	propaganda
package tour	tour
guide(book)	guía turística (libro)
itinerary	itinerario

booking	reserva
deposit	depósito
list	lista
luggage	equipaje
suitcase	maleta
travel bag	bolso de viaje
rucksack	mochila
label	etiqueta
toilet bag	neceser
passport	pasaporte
identity card	documento de identidad
visa	visado
ticket	billete
traveller's cheques	cheques de viaje
travel insurance	seguro de viaje
customs	aduana
customs officer	aduanero
border	frontera
in advance	con antelación

nothing to declare
nada que declarar

should we confirm our booking in writing?
¿es necesario que confirmemos nuestra reserva por escrito?

I'm really looking forward to going on holiday
no veo la hora de irme de vacaciones

Ver también los capítulos **39 EL FERROCARRIL, 40 EL AVIÓN, 41 EL TRANSPORTE PÚBLICO** y **42 EN EL HOTEL.**

39 RAILWAYS
EL FERROCARRIL

to reserve	reservar
to book	reservar
to change	cambiar
to punch	picar
to get off	bajar
to get on/in	subir
to be late	llegar tarde
to be derailed	descarrilar
on time	a la hora, en punto
late	con retraso
reserved	reservado
taken	ocupado (asiento)
engaged	ocupado (servicio)
free	libre
smoker	fumador (asiento)
non-smoker	no fumador (asiento)

the station   la estación

British Rail	ferrocarriles británicos
railways	(vías de) ferrocarril
ticket office	taquilla
ticket vending machine	despacho automático de billetes
information	información
indicator board	tablero indicador
waiting room	sala de espera
station buffet	bar/cantina de la estación
left luggage	consigna
left luggage lockers	consigna automática
luggage trolley	carro para equipajes
luggage	equipaje

lost property office	oficina de objetos perdidos
stationmaster	jefe de estación
guard	jefe de tren
ticket collector	revisor
railwayman	ferroviario
passenger	pasajero

the train — el tren

freight train	tren de carga
through train	tren directo
express/Intercity train	expreso/Intercity
fast train	rápido
monorail train	monoraíl
electric train	tren eléctrico
diesel train	tren diesel
Trans-Europe-Express train	Expreso Transeuropeo
high-speed train	tren de alta velocidad

locomotive	locomotora
engine	motor
steam engine	locomotora de vapor
dining car	vagón restaurante
coach	coche, vagón
carriage	coche
sleeper	coche cama
front of the train	cabeza (del tren)
rear of the train	cola (del tren)
luggage van	furgón de carga
compartment	compartimiento
couchette	litera
toilets	servicios
door	puerta
window	ventanilla
seat	asiento
luggage rack	portaequipajes
alarm	alarma

the journey	**el viaje**
platform	andén
tracks	vías
track	vía
line	línea
network	red
level crossing	paso a nivel
tunnel	túnel
Channel Tunnel	Eurotúnel
stop	parada
arrival	llegada
departure	partida
connection	correspondencia

tickets	**los billetes**
half(-price ticket)	billete media tarifa
reduced rate	tarifa reducida
adult	adulto
single (ticket)	ida
return (ticket)	ida y vuelta
class	clase
first class	primera (clase)
second class	segunda (clase)
railcard	tarjeta ferroviaria
reservation	reserva
timetable	horario
public holidays	días no laborables
weekday	días laborables

I went to Paris by train/I took the train to Paris
fui a París en tren/cogí el tren de París

a single/return to York, please
un ida/ida y vuelta a York, por favor

when is the next/last train for Edinburgh?
¿a qué hora sale el próximo/último tren a Edimburgo?

the train arriving from London is 20 minutes late
el tren procedente de Londres lleva 20 minutos de retraso

the train to Glasgow
el tren (con destino) a Glasgow

the Birmingham train
el tren a/de Birmingham

do I have to change?
¿tengo que cambiar de tren?

change at Crewe
cambio de tren en Crewe

is this seat taken?
¿está ocupado este asiento?

«tickets, please»
«billetes, por favor»

I nearly missed my train
estuve a punto de perder el tren

we'll have to run to catch the connection
tendremos que correr para hacer transbordo

he came and picked me up at the station
vino a recogerme a la estación

she took me to the station
me llevó a la estación

have a good journey!
¡buen viaje!

40 FLYING
EL AVIÓN

to check in	facturar el equipaje
to take off	despegar
to fly	volar
to land	aterrizar
to stop over	hacer escala

at the airport	**en el aeropuerto**
runway	pista
airline	línea aérea
information	información
check-in	facturación
hand luggage	equipaje de mano
duty-free shop	tienda de artículos libre de impuestos

boarding	embarque
departure lounge	sala de embarque
boarding pass	tarjeta de embarque
gate	puerta
baggage claim	recogida de equipaje
air terminal	edificio terminal

on board	**a bordo**
plane	avión
supersonic plane	avión supersónico
jet	jet
jumbo jet	jumbo
charter flight/plane	chárter
wing	ala
propeller	turbina
window	ventanilla

seat belt	cinturón de seguridad
emergency exit	salida de emergencia
seat	asiento
flight	vuelo
direct flight	vuelo directo
domestic flight	vuelo nacional
international flight	vuelo internacional
altitude	altura
speed	velocidad
departure	partida
take-off	despegue
arrival	llegada
landing	aterrizaje
emergency landing	aterrizaje de emergencia
stop-over	escala
delay	retraso
crew	tripulación
pilot	piloto
stewardess	azafata
steward	auxiliar de vuelo
passenger	pasajero
hijacker	pirata aéreo
cancelled	cancelado
delayed	con retraso

would you like smoking or non-smoking?
¿desea un asiento de fumador o de no fumador?

I'd like a non-smoking seat
desearía un asiento de no fumador

«now boarding at gate number 17»
«embarque por puerta 17»

«fasten your seat belt»
«abróchense los cinturones»

41 PUBLIC TRANSPORTATION
EL TRANSPORTE PÚBLICO

to get off	bajar
to get on	subir
to wait (for)	esperar
to arrive	llegar
to change	cambiar
to stop	parar
to hurry	darse prisa
to miss	perder
to dodge the fare	viajar sin billete
to produce one's ticket	enseñar el billete
bus	autobús
coach	coche, autocar
underground	metro
tube	metro (de Londres)
local train	tren de cercanías
taxi	taxi
driver	conductor
ticket collector	revisor (tren)
conductor	vendedor de billetes (autobús)
passenger	pasajero
fare dodger	pasajero sin billete
commuter	persona que viaja diariamente a la ciudad donde trabaja
bus station	estación de autobuses
tube/underground station	estación de metro
bus shelter	parada-refugio de autobús
bus stop	parada de autobús
booking office	taquilla
ticket machine	despacho automático de billetes
waiting room	sala de espera

enquiries	información (tel.)
exit	salida
network	red
line	línea
platform	andén
departure	partida
direction	dirección
arrival	llegada
back	parte trasera
front	parte delantera
seat	asiento
ticket	billete
fare	precio del billete
book of tickets	billete múltiple
season ticket	abono de transportes
adult	adulto
child	niño
first class	primera clase
second class	segunda clase
reduction	descuento
excess fare	suplemento
off-peak hours	horas huecas
rush hours	horas puntas

I go to school by bus
voy a la escuela en autobús

what bus will take me to the British Museum?
¿qué autobús debo coger para ir al British Museum?

where is the nearest underground station?
¿cuál es la boca de metro más próxima?

Ver también el capítulo **39 EL FERROCARRIL.**

no vacancies	completo
closed	cerrado
included	incluido
hotel	hotel
guest house	pensión
booking	reserva
reception	recepción
full board	pensión completa
half board	media pensión
price per day	precio por día
service	servicio
tip	propina
bill	cuenta
complaint	queja, reclamación
restaurant	restaurante
dining room	comedor
lounge	salón
bar	bar
car park	aparcamiento
lift	ascensor
breakfast	desayuno
continental breakfast	desayuno continental
full English breakfast	desayuno inglés
lunch	comida
dinner	cena
evening meal	cena
manager	administrador
receptionist	recepcionista
night porter	portero de noche
chambermaid	doncella

the room	**la habitación**
room	habitación
single room	habitación individual
double room	habitación doble (1 cama)
twin room	habitación doble (2 camas)
bed	cama
double bed	cama doble
single bed	cama individual
cot	cuna, cama de niño
bathroom	cuarto de baño
shower	ducha
washbasin	lavabo
hot water	agua caliente
toilet	aseo
air conditioning	aire acondicionado
emergency exit	salida de emergencia
fire escape	escalera de emergencia
balcony	balcón
view	vista
key	llave

a two/three star hotel
un hotel de dos/tres estrellas

have you got any vacancies?
¿tiene habitaciones libres?

I'd like a single/double room
una habitación individual/doble, por favor

a room overlooking the sea
una habitación con vista al mar

a room with a private bathroom
una habitación con baño privado

for how many nights?
¿por cuántas noches?

we're full
está completo

could you please call me at seven a.m.?
¿podría despertarme a las siete?

I'm in room number 7
estoy en la habitación número 7

could you make up my bill, please?
¿me puede preparar la cuenta, por favor?

«do not disturb»
«no molestar»

43 CAMPING, CARAVANNING AND YOUTH HOSTELS
CAMPING-CARAVANAS Y ALBERGUES JUVENILES

to camp	acampar
to go camping	ir de camping
to camp in the wild	ir de acampada
to go caravanning	ir de viaje en caravana
to hitch-hike	hacer autostop
to pitch the tent	armar la tienda
to take down the tent	desarmar la tienda
to sleep out in the open	dormir al aire libre
camping	acampada
campsite	camping
camper	campista, acampador
tent	tienda
Lilo (R)	colchón neumático
fly sheet	doble techo
ground sheet	suelo de la tienda
peg	estaca
rope	cuerda
fire	fuego
campfire	hoguera
camping gas (R)	camping gas (R)
refill	recambio
stove	calentador
billy can	cazo
penknife	navaja
bucket	cubo
sleeping bag	saco de dormir
torch	linterna
toilet block	servicios

showers	duchas
toilets	servicios
drinking water	agua potable
rubbish bin	papelera
mosquito	mosquito
caravanning	ir de viaje en caravana
caravan site	área de camping para caravanas
caravan	caravana
trailer	remolque
youth hostel	albergue juvenil
dormitory	dormitorio (colectivo)
games room	sala de juegos
membership card	carné de alberguista
duty	carga
rucksack	mochila
hitch-hiking	autostop

may we camp here?
¿podemos acampar aquí?

«no camping»
«prohibido acampar»

44 AT THE SEASIDE
EN LA PLAYA

to swim	nadar
to go for a swim	darse un baño
to float	flotar
to splash about	chapotear
to dive	zambullirse
to drown	ahogarse
to get a tan	broncearse
to sunbathe	tomar el sol
to get sunburnt	coger una insolación
to peel	pelarse
to splash	chapotear
to be seasick	marearse
to row	remar
to sink	hundirse
to capsize	volcar (embarcación)
to go on board	subir a bordo
to disembark	desembarcar
to drop anchor	echar el ancla
to weigh anchor	levar anclas
sunny	soleado
tanned	bronceado
in the shade	a la sombra
in the sun	al sol
off the coast of	(en el mar) frente a
sea	mar
lake	lago
beach	playa
shore	orilla
swimming pool	piscina
diving board	trampolín
paddling pool	piscina para niños

beach hut	caseta de baño
sand	arena
shingle	guijarros
rock	roca
cliff	acantilado
salt	sal
wave	ola
high tide	marea alta
low tide	marea baja
current	corriente
coast	costa
harbour	puerto
quay	muelle (puerto)
pier	embarcadero
jetty	embarcadero
sea front	playa, paseo marítimo
sea bed	fondo del mar
lighthouse	faro
horizon	horizonte
lifeguard	socorrista
swimming instructor	monitor de natación
captain	capitán
bather	bañista
swimmer	nadador
shell	concha
fish	pez
crab	cangrejo
shark	tiburón
seagull	gaviota

boats	las embarcaciones
ship	barco, navío
boat	barco, barca
rowing boat	barca de remos

sailing boat	velero
motorboat	barca de motor
yacht	yate
liner	barco de línea
ferry	ferry
rubber dinghy	bote hinchable
pedal boat	barca a pedales
oar	remo
sail	vela
sailing	vela (deporte)
anchor	ancla

things for the beach   cosas para la playa

swimsuit	bañador (mujer)
trunks	bañador (hombre)
bikini	bikini
bathing cap	gorra de baño
goggles	gafas submarinas
snorkel	tubo para respirar
flippers	aletas
rubber ring	salvavidas, flotador
buoy	boya
Lilo (R), air-bed	colchón neumático
deckchair	tumbona, hamaca
beach towel	toalla
sunglasses	gafas de sol
suntan oil	aceite bronceador
suntan lotion	crema bronceadora
spade	pala
bucket	cubo
sandcastle	castillo de arena
frisbee(R)	frisbee (R)
ball	pelota

I can't swim
no sé nadar

«no bathing»
prohibido bañarse

«man overboard!»
«¡hombre al agua!»

45 GEOGRAPHICAL TERMS
TÉRMINOS GEOGRÁFICOS

continent	continente
country	país
developing country	país en vías de desarrollo
area	área, región
district	zona, barrio
city	ciudad
town	ciudad, pueblo
village	pueblo
capital (city)	(ciudad) capital
mountain	montaña
mountain chain	cadena montañosa
hill	colina
cliff	acantilado
summit	cumbre, cima
peak	pico
pass	puerto
valley	valle
plain	llanura
plateau	meseta
glacier	glaciar
volcano	volcán
sea	mar
ocean	océano
lake	lago
pool	laguna
pond	estanque
river	río
stream	arroyo, río
canal	canal
spring	manantial

coast	costa
island	isla
peninsula	península
promontory	promontorio
bay	bahía
estuary	estuario
desert	desierto
forest	bosque
latitude	latitud
longitude	longitud
altitude	altura
depth	profundidad
area	superficie
population	población
world	mundo
universe	universo
Tropics	trópicos
North Pole	Polo Norte
South Pole	Polo Sur
Equator	Ecuador
planet	planeta
earth	tierra
sun	sol
moon	luna
star	estrella
constellation	constelación
Milky Way	Vía Láctea

what is the highest mountain in Europe?
¿cuál es la montaña más alta de Europa?

Ver también los capítulos **27 LA NATURALEZA, 46 PAÍSES, CONTINENTES, ETC.** *y* **47 NACIONALIDADES.**

countries	países
Algeria	Argelia
Austria	Austria
Belgium	Bélgica
Canada	Canadá
China	China
Czechoslovakia	Checoslovaquia
Denmark	Dinamarca
Egypt	Egipto
Eire	República de Irlanda, Eire
England	Inglaterra
Finland	Finlandia
France	Francia
Germany	Alemania
Great Britain	Gran Bretaña
Greece	Grecia
Holland	Holanda
Hungary	Hungría
India	India
Ireland	Irlanda
Israel	Israel
Italy	Italia
Japan	Japón
Libya	Libia
Luxembourg	Luxemburgo
Morocco	Marruecos
Netherlands	Países Bajos
Norway	Noruega
Pakistan	Paquistán
Palestine	Palestina
Poland	Polonia
Portugal	Portugal

Russia	Rusia
Scotland	Escocia
Spain	España
Sweden	Suecia
Switzerland	Suiza
Tunisia	Túnez
Turkey	Turquía
United Kingdom	Reino Unido
United States	Estados Unidos
USA	EEUU
USSR	URSS
Wales	Gales

continents / continentes

Africa	África
America	América
Asia	Asia
Australia	Australia
Europe	Europa
North America	América del Norte
South America	América del Sur

cities / ciudades

Brussels	Bruselas
Dover	Dóver
Edinburgh	Edimburgo
Geneva	Ginebra
London	Londres
Lyons	Lyón
Marseilles	Marsella
Moscow	Moscú
Paris	París

regions	regiones
the Third World	el Tercer Mundo
the Eastern bloc countries	los países del Este
the East	Oriente
the Middle East	Oriente Medio
the Far East	Lejano Oriente
Scandinavia	Escandinavia
Brittany	Bretaña
the South of France	el Mediodía francés
the French Riviera	la Costa Azul
Normandy	Normandía
the Basque country	el País Vasco
Cornwall	Cornualles
the Channel Islands	las Islas del Canal
the Lake District	el distrito de los Lagos
the Highlands	las Tierras Altas

seas, rivers, islands and mountains	mares, ríos, islas y montañas
the Mediterranean	el Mediterráneo
the North Sea	el Mar del Norte
the Atlantic	el Atlántico
the Pacific	el Pacífico
the Indian Ocean	el Océano Índico
the English Channel	el Canal de la Mancha
the Rhine	el Rin
the Rhone	el Ródano
the Seine	el Sena
the Thames	el Támesis
the West Indies	las Antillas
Corsica	Córcega
the Alps	los Alpes
the Pyrenees	los Pirineos
the Apennines	los Apeninos

I come from the West Indies
soy de las Antillas

I spent my holidays in Spain
pasé las vacaciones en España

Holland is a flat country
Holanda es un país llano

It rains a lot in Scotland
llueve mucho en Escocia

I would like to go to China
me gustaría ir a China

I live in Dover
vivo en Dover

I'm going to Manchester
voy a Manchester

Ver también el capítulo **47 NACIONALIDADES.**

47 NATIONALITIES
NACIONALIDADES

countries	países
foreign	extranjero
Algerian	argelino
American	estadounidense
Australian	australiano
Austrian	austríaco
Belgian	belga
British	británico
Canadian	canadiense
Chinese	chino
Danish	danés
Dutch	holandés
English	inglés
Flemish	flamenco
French	francés
German	alemán
Irish	irlandés
Israeli	israelí
Italian	italiano
Japanese	japonés
Moroccan	marroquí
Norwegian	noruego
Pakistani	paquistaní
Palestinian	palestino
Polish	polaco
Portuguese	portugués
Russian	ruso
Scottish	escocés
Spanish	español
Swedish	sueco
Swiss	suizo
Tunisian	tunecino
Welsh	galés

areas and cities	regiones y ciudades
Oriental	oriental
Western	occidental
African	africano
Asian	asiático
European	europeo
Arabic	árabe
Scandinavian	escandinavo
Alsatian	alsaciano
Basque	vasco
Burgundian	borgoñón
Breton	bretón
Norman	normando
Parisian	de París
Londoner	de Londres
Liverpudlian	de Liverpool
Mancunian	de Manchester
Glaswegian	de Glasgow
a Frenchman	un francés
a Frenchwoman	una francesa
an Englishman	un inglés
an Englishwoman	una inglesa

the English drink a lot of beer
los ingleses beben mucha cerveza

Donald is Scottish
Donald es escocés

I like Chinese food
me gusta la comida china

a London paper
un periódico de Londres

48 LANGUAGES
IDIOMAS

to learn	aprender
to learn by heart	aprender de memoria
to understand	comprender
to write	escribir
to read	leer
to speak	hablar
to repeat	repetir
to pronounce	pronunciar
to translate	traducir
to improve	perfeccionar
to mean	querer decir
French	francés
English	inglés
German	alemán
Spanish	español
Portuguese	portugués
Italian	italiano
modern Greek	griego moderno
classical Greek	griego clásico
Latin	latín
Russian	ruso
Arabic	árabe
Chinese	chino
Japanese	japonés
Gaelic	gaélico
language	idioma, lengua
mother tongue	lengua materna
foreign language	lengua extranjera
modern languages	lenguas modernas

dead languages	lenguas muertas
vocabulary	vocabulario
grammar	gramática

I don't understand
no comprendo

I am learning English
estoy aprendiendo inglés

she speaks fluent Spanish
habla español con fluidez

he speaks English very badly
habla muy mal inglés

English is his native language
el inglés es su lengua materna

in English
en inglés

translated into/from English
traducido al/del inglés

could you speak more slowly, please?
¿podría hablar más despacio, por favor?

could you repeat that, please?
¿me lo podría repetir, por favor?

Patrick is good at languages
a Patrick se le dan bien los idiomas

Ver también el capítulo **47 NACIONALIDADES.**

to visit	visitar
to travel	viajar
to be interested in	interesarse por
nationalistic	nacionalista
patriotic	patriótico
on holiday	de vacaciones

tourism	**turismo**
holidays	vacaciones
tourist	turista
foreigner	extranjero
tourist office	oficina de turismo
tourist information bureau	oficina de información turística
attractions	atracciones
places of interest	sitios de interés
specialities	especialidades
crafts	artesanías
guide	guía
guidebook	guía (libro)
phrasebook	guía de frases útiles
map	mapa
visit	visita
guided tour	visita guiada
journey	recorrido
school trip	viaje escolar
package holiday	tour
excursion	excursión
coach trip	excursión en autocar
group	grupo

stay	estancia
consulate	consulado
embassy	embajada
hospitality	hospitalidad

symbols of Great Britain
símbolos de Gran Bretaña

the Trooping of the Colour	el saludo a la bandera (cumpleaños de la reina)
the Changing of the Guard	el cambio de guardia
Lord Mayor's Procession	la procesión del Lord alcalde de Londres
the Union Jack	la bandera nacional
the National Anthem	el himno nacional
the Tower of London	la Torre de Londres
Buckingham Palace	el Palacio de Buckingham
the Houses of Parliament	el Parlamento
double-decker	autobús de dos plantas
pillar box	buzón
bowler hat	bombín
bed and breakfast	alojamiento y desayuno
Mary Queen of Scots	María Estuardo
haggis	estómago de cordero relleno
thistle	cardo (símbolo de Escocia)
leek	puerro (símbolo de Gales)
rose	rosa (símbolo de Inglaterra)
shamrock	trébol (símbolo de Irlanda)

customs
costumbres

way of life	modo de vida
culture	cultura
pub	pub
tea-room	salón de té
afternoon tea	té
fish and chips	pescado con patatas fritas

golf	golf
cricket	cricket
bowls	bolos
Christmas carols	villancicos navideños
Hogmanay	Nochevieja en Escocia
Guy Fawkes' Night	noche del 5 de noviembre (tentativa de incendio del Parlamento por Guy Fawkes)
Burns' Night	noche del 25 de enero (nacimiento del poeta escocés Robert Burns)

«God save the Queen!»
«¡Dios salve a la Reina!»

«don't forget to tip your guide»
«una propina para el guía»

Ver también los capítulos **25 LA CIUDAD, 26 EL COCHE, 38 LAS VACACIONES, 39 EL FERROCARRIL, 40 EL AVIÓN, 41 EL TRANSPORTE PÚBLICO, 42 EN EL HOTEL, 43 CAMPING-CARAVANAS, 44 EN LA PLAYA, 45 TÉRMINOS GEOGRÁFICOS y 64 LAS INDICACIONES.**

50 INCIDENTS
INCIDENTES

to happen	pasar, suceder
to occur	ocurrir
to take place	tener lugar
to meet	encontrarse
to coincide	coincidir
to miss	perder (transporte)
to drop	dejar caer
to spill	derramar(se)
to knock over	volcar
to fall	caer
to spoil	estropear
to damage	dañar
to break	romper
to cause	causar
to be careful	tener cuidado
to forget	olvidar
to lose	perder
to look for	buscar
to recognize	reconocer
to find	encontrar
to find (again)	reencontrar
to get lost	perderse
to lose one's way	equivocar el camino
to ask one's way	preguntar el camino
absent-minded	distraído
clumsy	torpe
unexpected	inesperado
accidentally	por accidente
by chance	por casualidad
inadvertently	por error o descuido

coincidence	coincidencia
surprise	sorpresa
luck	suerte
bad luck	mala suerte
chance	azar
misadventure	desventura
meeting	encuentro
heedlessness	distracción, descuido
fall	caída
damage	daño
forgetfulness	falta de memoria, despiste
loss	pérdida
lost property office	oficina de objetos perdidos
reward	recompensa

what a coincidence!
¡qué coincidencia!

just my luck!
¡me tenía que pasar a mí!

what's wrong?
¿qué pasa?

what a pity!
¡qué pena!

watch out!
¡cuidado!

51 ACCIDENTS
ACCIDENTES

to drive	conducir
to take needless risks	correr riesgos innecesarios
not to give way	no ceder el paso
to go through a red light	saltarse un semáforo
to ignore a stop sign	saltarse un stop
to skid	derrapar
to slide	resbalar
to hurtle down	desbarrancarse
to burst	reventarse
to lose control of	perder el control de
to somersault	dar una vuelta de campana
to run into	chocar contra
to run over	atropellar
to wreck	destruir
to demolish	demoler
to damage	dañar
to destroy	destruir
to be trapped	quedar atrapado
to be in a state of shock	estar en estado de shock
to lose consciousness	perder el sentido
to regain consciousness	volver en sí
to be in a coma	estar en coma
to die on the spot	morir en el acto
to witness	presenciar
to draw up a report	levantar un atestado
to compensate	indemnizar
to slip	resbalar
to drown	ahogarse
to suffocate	asfixiarse
to fall (from)	caer (de/desde)
to fall out of the window	caerse por la ventana

to get an electric shock	recibir una descarga eléctrica
to electrocute oneself	electrocutarse
to burn oneself	quemarse
to scald oneself	escaldarse
to cut oneself	cortarse

drunk	borracho
injured	herido
dead	muerto
serious	grave
insured	asegurado

road accidents — accidentes de carretera

accident	accidente
car accident	accidente de coche
road accident	accidente en la carretera
Highway Code	Código de Circulación
car crash	choque
pile-up	accidente múltiple
impact	colisión
smash	choque
explosion	explosión
hard shoulder	arcén
speeding	exceso de velocidad
breathalyser	alcoholímetro
drunk driving	conducir en estado de ebriedad
fatigue	cansancio
poor visibility	falta de visibilidad
fog	niebla
rain	lluvia
black ice	placa de hielo en la carretera
cliff	acantilado
precipice	precipicio

other accidents	otros accidentes
industrial accident	accidente de trabajo
mountaineering accident	accidente de montaña
fall	caída
drowning	acción de ahogarse
electric shock	descarga eléctrica
fire	incendio

injured persons and witnesses
heridos y testigos

injured person	herido
seriously injured person	herido grave
dead person	muerto
witness	testigo
eye witness	testigo ocular
concussion	conmoción cerebral
injury	herida
burn	quemadura
composure	calma

help
ayuda

emergency services	servicio de socorro
police	policía
fire brigade, firemen	cuerpo de bomberos
first aid	primeros auxilios
emergency	emergencia
ambulance	ambulancia
doctor	doctor
nurse	enfermera
first aid kit	equipo de primeros auxilios
stretcher	camilla
artificial respiration	respiración artificial

kiss of life	respiración boca a boca
oxygen	oxígeno
tourniquet	torniquete
extinguisher	extintor
breakdown vehicle	camión grúa

the consequences — las consecuencias

damage	daño
report	acta, parte
fine	multa
justice	justicia
sentence	sentencia
insurance	seguro
responsibility	responsabilidad
damages	daños y perjuicios

his brakes failed
le fallaron los frenos

he's lucky — he escaped with only a few scratches
tuvo suerte; sólo sufrió heridas leves

my car is a write-off
mi coche está en siniestro total

he lost his driving licence
le retiraron el permiso de conducir

Ver también los capítulos **6 LA SALUD, 26 EL COCHE, 28 ¿QUÉ TIEMPO HACE?** y **52 DESASTRES.**

52 DISASTERS
DESASTRES

to attack	atacar
to defend	defender
to collapse	derrumbarse
to starve	morir de hambre
to erupt	entrar en erupción
to explode	hacer explosión
to shake	temblar
to suffocate	asfixiar
to burn	quemar, arder
to extinguish	extinguir
to raise the alarm	dar la alarma
to rescue	rescatar
to sink	hundirse

war	la guerra
army	ejército
navy	marina
air force	fuerza aérea
enemy	enemigo
ally	aliado
battlefield	campo de batalla
bombing	bombardeo
bomb	bomba
nuclear weapons	armas nucleares
shell	proyectil
missile	misil
tank	tanque
gun	fusil
machine-gun	ametralladora
mine	mina

civilians	civiles
refugee	refugiado
soldier	soldado
general	general
colonel	coronel
captain	capitán
sergeant	sargento
cruelty	crueldad
torture	tortura
death	muerte
wound	herida
victim	víctima
air-raid shelter	refugio antiaéreo
nuclear shelter	refugio antinuclear
radioactive fallout	lluvia radioactiva
truce	tregua
treaty	tratado
victory	victoria
defeat	derrota
peace	paz

natural disasters / desastres naturales

drought	sequía
famine	hambruna
malnutrition	desnutrición
lack of	falta de
epidemic	epidemia
tornado	tornado
cyclone	ciclón
tidal wave	maremoto
flooding	inundación
earthquake	terremoto
volcano	volcán
volcanic eruption	erupción volcánica

lava	lava
avalanche	avalancha
relief organization	organización de beneficencia
the Red Cross	la Cruz Roja
volunteer	voluntario
rescue	rescate
SOS	SOS

fires — los incendios

fire	incendio, fuego
smoke	humo
flames	llamas
explosion	explosión
fire brigade	cuerpo de bomberos
fireman	bombero
fire engine	coche de bomberos
ladder	escalera
hose	manguera
emergency exit	salida de emergencia
panic	pánico
ambulance	ambulancia
emergency	emergencia
help	auxilio, socorro
artificial respiration	respiración artificial
survivor	superviviente

«help!»
«¡socorro!»

«fire!»
«¡fuego!»

Ver también el capítulo 51 ACCIDENTES.

53 CRIME
EL CRIMEN

to steal	robar
to burgle	hurtar
to threaten	amenazar
to murder	asesinar
to assassinate	asesinar (político)
to kill	matar
to stab	apuñalar
to strangle	estrangular
to shoot	disparar
to poison	envenenar
to attack	atracar
to force	forzar
to rape	violar
to blackmail	chantajear
to swindle	estafar
to embezzle	estafar
to spy	espiar
to prostitute oneself	prostituirse
to drug	drogar
to kidnap	secuestrar, raptar
to abduct	secuestrar
to take hostage	tomar de rehén
to set fire to	incendiar
to arrest	arrestar
to investigate	investigar
to lead an investigation	llevar una investigación
to question	interrogar
to interrogate	someter a interrogatorio
to search	registrar
to beat up	dar una paliza
to imprison	encarcelar

to surround	rodear
to seal off	clausurar
to lock up	encerrar
to rescue	rescatar
to defend	defender
to accuse	acusar
to try	intentar
to prove	probar
to sentence	sentenciar
to convict	declarar culpable
to acquit	declarar inocente
to release	poner en libertad
guilty	culpable
innocent	inocente

crime — el delito

theft	robo
burglary	hurto
break-in	allanamiento de morada
hold-up	atraco
hijacking	secuestro de un avión
attack	atraco
armed attack	atraco a mano armada
murder	asesinato, homicidio
fraud	fraude
confidence trick	timo
blackmail	chantaje
rape	violación
prostitution	prostitución
procuring	proxenetismo
drug trafficking	tráfico de drogas
smuggling	contrabando
spying	espionaje
hostage	toma de rehenes

murderer	asesino, homicida
thief	ladrón
burglar	ladrón
pimp	proxeneta
drug dealer	traficante de drogas
arsonist	pirómano

weapons

armas

gun	revólver, pistola, fusil
pistol	pistola
rifle	rifle
revolver	revólver
knife	cuchillo
dagger	daga, puñal
poison	veneno
punch	puñetazo
knuckle-duster	puño de hierro / americano

police

la policía

policeman	policía
riot policeman	brigada antidisturbios
detective	detective
superintendent	comisario
Vice Squad	brigada contra el vicio
Fraud Squad	brigada de delitos monetarios
mounted police	policía montada
police station	comisaría
report	informe, acta
investigations	investigaciones
enquiry	investigación
clue	pista

police dog	perro policía
informer	informante
truncheon	porra

handcuffs	esposas
helmet	casco
shield	escudo
tear gas	gas lacrimógeno
police van	coche celular
cell	celda

the judicial system — el sistema judicial

case	caso
trial	juicio
accused	acusado
victim	víctima
evidence	pruebas
witness	testigo
lawyer	abogado
judge	juez
jury	jurado
defence	defensa
sentence	sentencia, pena
reprieve	indulto
suspended sentence	libertad condicional
reduced sentence	pena reducida
fine	multa
probation	libertad vigilada
imprisonment	reclusión
prison	prisión
life sentence	cadena perpetua
death sentence	pena de muerte
electric chair	silla eléctrica
hanging	ejecución en la horca
miscarriage of justice	error judicial

he was sentenced to 20 years' imprisonment
lo condenaron a 20 años de cárcel

the police are investigating this case
la policía se está ocupando de este caso

to play	jugar
to have fun	divertirse
to imagine	imaginar
to happen	ocurrir, suceder
to hide	esconderse
to run off/away	echar a correr
to escape	escaparse
to chase	perseguir
to discover	descubrir
to explore	explorar
to dare	atreverse
to dress up (as a)	disfrazarse (de)
to play truant	hacer pellas / novillos
to play hide-and-seek	jugar al escondite
to take to one's heels	echar a correr
to bewitch	embrujar
to tell fortunes	adivinar el futuro
to foretell	predecir
to dream	soñar
to daydream	soñar despierto
to have a dream	tener un sueño
to have a nightmare	tener una pesadilla

adventures — aventuras

adventure	aventura
misadventure	desventura
game	juego
playground	patio de recreo

journey	viaje
escape	evasión
disguise	disfraz
unknown	desconocido
event	suceso, acontecimiento
discovery	descubrimiento
chance	casualidad
luck	suerte
ill-luck	mala suerte
danger	peligro
risk	riesgo
hiding place	escondite
cave	cueva
island	isla
treasure	tesoro
courage	coraje
recklessness	valentía
cowardice	cobardía

fairytales and legends	cuentos de hadas y leyendas
wizard	brujo
witch	bruja
magician	mago
fairy	hada
sorcerer	brujo, hechicero
prophet	profeta
gnome	gnomo
imp	diablillo
goblin	duende
dwarf	enano
giant	gigante
ghost	fantasma
skeleton	esqueleto
vampire	vampiro
dragon	dragón

werewolf	hombre lobo
monster	monstruo
extra-terrestrial	extraterrestre
owl	búho
toad	sapo
black cat	gato negro
haunted castle	castillo encantado
cemetery	cementerio
space ship	nave espacial
UFO	ovni
universe	universo
magic	magia
superstition	superstición
magic wand	varita mágica
flying carpet	alfombra voladora
broomstick	escoba
crystal ball	bola de cristal
tarot	tarot
lines of the hand	líneas de la mano
full moon	luna llena

dreams — sueños

dream	sueño
daydreaming	fantasía
nightmare	pesadilla
imagination	imaginación
subconscious	subconsciente
hallucination	alucinación
waking up	despertar

I've had a nice dream/horrible nightmare
He tenido un bonito sueño/una pesadilla horrible

do you know what happened to me yesterday?
¿sabes lo que me ha pasado ayer?

you let your imagination run away with you
tienes demasiada imaginación

55 THE TIME
LA HORA

things that tell the time	**cosas que indican la hora**

watch	reloj (de pulsera)
digital watch	reloj digital
clock	reloj
alarm clock	reloj despertador
stopwatch	cronómetro
speaking clock	reloj parlante
time switch	temporizador
timer	reloj automático
clock tower	reloj de torre
bell	campana
sun dial	reloj de sol
egg-timer	reloj de arena
hands of a watch	agujas de un reloj
minute hand	minutero
hour hand	aguja de la hora
second hand	segundero
time zone	huso horario
Greenwich Mean Time (GMT)	hora de Greenwich
British Summer Time	horario de verano (GB)

what time is it?	**¿qué hora es?**
one o'clock	la una
eight a.m.	las ocho de la mañana
eight o'clock in the morning	las ocho de la mañana
five (minutes) past eight	las ocho y cinco
a quarter past eight	las ocho y cuarto

ten thirty	las diez y treinta (minutos)
half past ten	las diez y media
twenty to eleven	las once menos veinte
a quarter to eleven	las once menos cuarto
twelve fifteen	las doce y quince (minutos)
a quarter past twelve	las doce y cuarto
two p.m.	las dos de la tarde
two o'clock in the afternoon	las dos de la tarde
two thirty p.m.	las dos y media de la tarde
ten p.m.	las diez de la noche
ten o'clock in the evening	las diez de la noche

divisions of time

división del tiempo

time	tiempo, hora
moment	momento
second	segundo
minute	minuto
quarter of an hour	cuarto de hora
half-an-hour	media hora
three quarters of an hour	tres cuartos de hora
hour	hora
an hour and a half	una hora y media
day	día
sunrise	amanecer, alba
morning	mañana
noon	mediodía
afternoon	tarde (hasta las 6)
evening	tarde (después de las 6), noche
sunset	atardecer
night	noche
midnight	medianoche

being late/on time

llegar tarde/puntual

to leave on time	salir en punto / a la hora

to be early	llegar temprano
to be ahead of schedule	adelantarse
to be on time	llegar puntual
to arrive in time	llegar a tiempo
to be late	llegar tarde
to be behind schedule	retrasarse
to hurry (up)	darse prisa
to be in a hurry	tener prisa

when?	**¿cuándo?**
when	cuando, cuándo
before	antes (de)
after	después de
during	durante
early	temprano
late	tarde
now	ahora
at the moment	en este momento
straightaway	enseguida
immediately	inmediatamente
already	ya
presently	en un momento
a short while ago	hace un momento
suddenly	de repente
soon	pronto
first	primero
then	entonces, después, luego
finally	por último
at that time	en ese momento
recently	recientemente
since	desde (que)
while	mientras que
meanwhile	mientras tanto
for a long time	durante mucho tiempo
a long time ago	hace mucho tiempo

always	siempre
never	nunca
often	a menudo
sometimes	a veces
from time to time	de vez en cuando
rarely	rara vez

what time is it?
¿qué hora es?

it's two o'clock (exactly)
son las dos (en punto)

be there at two o'clock sharp
estáte allí a las dos en punto

do you have the (exact) time?
¿me podría decir la hora (exacta)?

at what time does the train leave?
¿a qué hora sale el tren?

it's about two o'clock
son (aproximadamente) las dos

he came at around two
vino a eso de las dos

my watch is fast/slow
mi reloj atrasa/adelanta

I've set my watch to the right time
he puesto mi reloj en hora

I haven't got time to go out
no tengo tiempo para salir

Monday	lunes
Tuesday	martes
Wednesday	miércoles
Thursday	jueves
Friday	viernes
Saturday	sábado
Sunday	domingo
day	día
week	semana
weekend	fin de semana
fortnight	quincena
today	hoy
tomorrow	mañana
the day after tomorrow	pasado mañana
yesterday	ayer
the day before yesterday	anteayer
the day before	el día antes
the day after	el día siguiente
two days later	dos días más tarde
this week	esta semana
next week	la próxima semana
last week	la semana pasada
last Monday	el lunes pasado
next Monday	el lunes que viene
in a week's time	dentro de una semana
a week today	de hoy en ocho días
in two weeks' time	dentro de dos semanas
Thursday week	este jueves no, el siguiente
yesterday morning	ayer por la mañana

last night	anoche
this evening	esta tarde
tonight	esta noche
tomorrow morning	mañana por la mañana
tomorrow evening	mañana por la tarde
three days ago	hace tres días

on Thursday I went to the swimming pool
el jueves fui a la piscina

on Thursdays I go to the swimming pool
los jueves voy a la piscina

I go to the swimming pool every Thursday
voy a la piscina todos los jueves

he comes to see me every day
viene a verme todos los días

at the weekend
en el fin de semana

see you tomorrow!
¡hasta mañana!

see you next week!
¡hasta la semana que viene!

57 THE YEAR
EL AÑO

the months of the year	los meses del año
January	enero
February	febrero
March	marzo
April	abril
May	mayo
June	junio
July	julio
August	agosto
September	septiembre
October	octubre
November	noviembre
December	diciembre
month	mes
quarter	trimestre
year	año
decade	década
century	siglo

the seasons	las estaciones
season	estación
spring	primavera
summer	verano
autumn	otoño
winter	invierno

festivals	festivos
public holiday	día festivo

Christmas	Navidad
New Year's Eve	Nochevieja
New Year's Day	Día de Año Nuevo
Shrove Tuesday	Martes de Carnaval
Ash Wednesday	Miércoles de Ceniza
Good Friday	Viernes Santo
Easter	Pascuas
Easter Monday	Lunes de Pascua
Whitsun	Pentecostés
St Valentine's Day	Día de San Valentín
April Fool's Day	Primero de abril

my birthday is in February
mi cumpleaños es en febrero

it rains a lot in March
llueve mucho en marzo

summer is my favourite season
el verano es mi estación favorita

in winter I go skiing
en invierno voy a esquiar

Ver también los capítulos 55 LA HORA, 56 LA SEMANA y 58 LA FECHA.

58 THE DATE
LA FECHA

to date (from)	datar (de)
to last	durar
the present	el presente
the past	el pasado
the future	el futuro
history	historia
prehistory	prehistoria
antiquity	Antigüedad
the Middle Ages	la Edad Media
the Renaissance	el Renacimiento
the Age of Reason	el Siglo de las Luces
the French Revolution	la Revolución Francesa
the Industrial Revolution	la Revolución Industrial
the twentieth century	el siglo veinte
the year 2000	el año 2000
date	fecha
present	presente, actual
current	actual
modern	moderno
past	pasado
future	futuro
annual	anual
yearly	anual
monthly	mensual
weekly	semanal
daily	diario
in the past	en el pasado
in times past	otrora, antaño
formerly	en otros tiempos
for a long time	durante mucho tiempo

never	nunca
always	siempre
sometimes	a veces
when	cuando, cuándo
since	desde (que)
again	de nuevo
still	todavía
at that time	en esa época
BC	A.C.
AD	D.C.

what date is it today?
¿qué fecha es hoy?

it's the 1st (first) of June 1992
es el primero/uno de junio de 1992

it's the 15th (fifteenth) of August
es el quince de agosto

in 1992
en 1992

when is your birthday?
¿cuándo es tu cumpleaños?

he'll be back on the 16th (sixteenth) of July
volverá el 16 de julio

he left a year ago
se marchó hace un año

once upon a time, there was —
había una vez —

Ver también los capítulos **55 LA HORA, 56 LA SEMANA** y **57 EL AÑO.**

59 NUMBERS
LOS NÚMEROS

zero, nought	cero
one	uno
two	dos
three	tres
four	cuatro
five	cinco
six	seis
seven	siete
eight	ocho
nine	nueve
ten	diez
eleven	once
twelve	doce
thirteen	trece
fourteen	catorce
fifteen	quince
sixteen	dieciséis
seventeen	diecisiete
eighteen	dieciocho
nineteen	diecinueve
twenty	veinte
twenty-one	veintiuno
twenty-two	veintidós
thirty	treinta
forty	cuarenta
fifty	cincuenta
sixty	sesenta
seventy	setenta
seventy-one	setenta y uno
seventy-two	setenta y dos
eighty	ochenta
eighty-one	ochenta y uno
ninety	noventa

ninety-one	noventa y uno
a/one hundred	cien
a/one hundred and one	ciento uno
a/one hundred and sixty-two	ciento sesenta y dos
two hundred	doscientos
two hundred and two	doscientos dos
a/one thousand	mil
nineteen ninety	mil novecientos noventa
two thousand	dos mil
ten thousand	diez mil
a/one hundred thousand	cien mil
a/one million	un millón
a/one thousand million	mil millones
a/one billion	un billón
first	primero
second	segundo
third	tercero
fourth	cuarto
fifth	quinto
sixth	sexto
seventh	séptimo
eighth	octavo
ninth	noveno
tenth	décimo
eleventh	undécimo
twelfth	duodécimo
thirteenth	decimotercero
fourteenth	decimocuarto
fifteenth	decimoquinto
sixteenth	decimosexto
seventeenth	decimoséptimo
eighteenth	decimooctavo
nineteenth	decimonoveno
twentieth	vigésimo
twenty-first	vigésimo primero
twenty-second	vigésimo segundo
thirtieth	trigésimo

fortieth	cuadragésimo
fiftieth	quincuagésimo
sixtieth	sexagésimo
seventieth	septuagésimo
seventy-first	septuagésimo primero
eightieth	octogésimo
eighty-first	octogésimo primero
ninetieth	nonagésimo
ninety-first	nonagésimo primero
hundredth	centésimo
hundred and twentieth	centésimo vigésimo
two hundredth	ducentésimo
thousandth	milésimo
two thousandth	dos milésimo
figure	cifra
number	número

a/one hundred/thousand pounds
cien/mil libras

a large number of pupils
un gran número de alumnos

two point three (2.3)
dos coma tres (2,3)

fifty per cent
cincuenta por ciento

one million French francs
un millón de francos franceses

5,539
5.359

Henry VIII (the Eighth)
Enrique VIII (Octavo)

John Paul II (the Second)
Juan Pablo II (Segundo)

60 QUANTITIES
LAS CANTIDADES

to calculate	calcular
to count	contar
to weigh	pesar
to measure	medir
to share	compartir
to divide	dividir
to distribute	distribuir
to share out	repartir
to fill	llenar
to empty	vaciar
to remove	quitar
to lessen	disminuir
to reduce	reducir
to increase	aumentar
to add	añadir
to be enough	bastar
nothing	nada
everything	todo
all the —	todo el/toda la
	todos los/todas las
the whole —	todo el/toda la
something	algo
some	algún, alguna, algo de
several	algunos, algunas
each	cada, todo
every	cada
everybody, everyone	cada, todos/as
	todo el mundo, todos
little	poco
a little	un poco

a little bit of	un poquito de
few	pocos/as
a few	unos/as pocos/as
lots (of)/a lot (of)	mucho/a, muchos/as
much	mucho, mucha
many	muchos, muchas
no —	(nada de) —
no more	no más
more	más
less	menos
most	la mayor parte, la mayoría (de)
enough	bastante
too much	demasiado/a
about	cerca de, aproximadamente
more or less	más o menos
scarcely	apenas
just	justo
absolutely	totalmente
at the most	lo más
only	sólo
at least	al menos
half (of)	medio/a, la mitad de
a quarter (of)	un cuarto (de)
a third (of)	un tercio (de)
and a half	y medio/a
one and a half	uno/a y medio/a
two thirds	dos tercios
three quarters	tres cuartos
the whole	el total
rare	raro, escaso, singular
numerous	numeroso
equal	igual
extra	suplementario
full	lleno
empty	vacío

single	único
double	doble
treble	triple
a heap (of)	una pila (de)
a stack (of)	un montón (de)
a piece (of)	un trozo (de)
a slice (of)	una rebanada (de)
a glass (of)	un vaso (de)
a plate (of)	un plato (de)
a box (of)	una caja (de)
a tin (of)	un/a bote/lata (de)
a packet (of)	un paquete (de)
a mouthful (of)	un bocado (de)
a spoonful (of)	una cucharada (de)
a handful (of)	un puñado (de)
a pair (of)	un par (de)
a large number of	una gran cantidad (de)
masses of	un montón de
a crowd (of)	una multitud (de)
a part (of)	una parte (de)
a dozen	una docena
half a dozen	media docena
hundreds	cientos
thousands	miles
the rest (of)	el resto (de)

weights and measurements	pesos y medidas
ounce	onza
gramme	gramo
pound	libra
kilo	kilo
ton	tonelada

litre	litro
pint	pinta
inch	pulgada
foot	pie
centimetre	centímetro
metre	metro
kilometre	kilómetro
mile	milla

61 DESCRIBING SOMETHING
DESCRIPCIÓN DE COSAS

size	tamaño
width	ancho, anchura
breadth	anchura
height	alto
depth	profundidad
beauty	belleza
ugliness	fealdad
appearance	aspecto
shape	forma
quality	calidad
tall	alto
big	grande
small	pequeño
enormous	enorme
tiny	diminuto
microscopic	microscopio
wide	ancho
narrow	estrecho
thick	espeso, grueso
large	grande
fat	grueso, gordo
thin	delgado, fino
slim	delgado
flat	llano
deep	profundo
shallow	poco profundo
long	largo
short	corto
high	alto
low	bajo

lovely	bonito
beautiful	bello
good	bueno
better	mejor
the best	el mejor
pretty	bonito
cute	mono
marvellous	maravilloso
magnificent	magnífico
imposing	imponente
superb	soberbio
fantastic	fantástico
extraordinary	extraordinario
excellent	excelente
perfect	perfecto
ugly	feo
bad	malo
mediocre	mediocre
worse	peor
the worst	el peor
appalling	espantoso
dreadful	horrible
atrocious	atroz
defective	defectuoso
light	ligero
heavy	pesado
hard	duro
firm	firme
shiny	brillante
solid	sólido
sturdy	macizo, robusto
soft	suave
delicate	delicado
fine	fino
smooth	liso

hot	caliente
warm	caliente, tibio
cold	frío
lukewarm	templado
dry	seco
wet	mojado
damp	húmedo
liquid	líquido
simple	simple
complicated	complicado
difficult	difícil
easy	fácil
handy	práctico
useful	útil
useless	inútil
old	viejo
ancient	antiguo
new	nuevo
modern	moderno
out of date	anticuado
fresh	fresco
cool	fresco (temp.)
clean	limpio
dirty	sucio
disgusting	desagradable
worn out	gastado
curved	curvo
straight	recto
round	redondo
circular	circular
oval	ovalado
rectangular	rectangular
square	cuadrado
triangular	triangular

very	muy
too	demasiado
rather	más bien
quite	bastante
well	bien
badly	mal
better	mejor
the best	lo mejor

what's it like?
¿cómo es?

62 COLOURS
LOS COLORES

beige	beis
black	negro
blue	azul
sky blue	azul celeste
navy blue	azul marino
royal blue	azul cobalto
brown	marrón
flesh-coloured	color carne
gold	oro
golden	dorado
green	verde
grey	gris
mauve	malva
orange	naranja
pink	rosa
purple	violeta
red	rojo
silver	plateado
turquoise	turquesa
white	blanco
yellow	amarillo
dark	oscuro
bright	brillante
pale	pálido
plain	liso
multicoloured	multicolor
light	claro
dark	oscuro
light green	verde claro
dark green	verde oscuro

what colour is it?
¿de qué color es?

real	verdadero
natural	natural
synthetic	sintético
artificial	artificial
material	material
composition	composición
substance	sustancia
raw material	materia prima
product	producto
earth	tierra
water	agua
air	aire
fire	fuego
stone	piedra
rock	roca
ore	mineral
mineral	mineral
precious stones	piedras preciosas
crystal	cristal
marble	mármol
granite	granito
diamond	diamante
clay	arcilla
oil	petróleo
gas	gas
metal	metal
aluminium	aluminio
bronze	bronce
copper	cobre
brass	latón

tin	estaño, hojalata
pewter	peltre
iron	hierro
steel	acero
lead	plomo
gold	oro
silver	plata
wire	alambre
wood	madera
pine	pino
cane	caña
wickerwork	mimbre
straw	paja
bamboo	bambú
plywood	aglomerado de madera
concrete	hormigón
cement	cemento
brick	ladrillo
plaster	escayola
putty	masilla
glue	cola
glass	vidrio
cardboard	cartón
paper	papel
plastic	plástico
rubber	goma
earthenware	cerámica
china	porcelana
stoneware	gres
sandstone	piedra arenisca
wax	cera
leather	cuero
fur	piel
suede	ante

acrylic	acrílico
cotton	algodón
lace	encaje
wool	lana
linen	lino
nylon	nailon
polyester	poliéster
silk	seda
synthetic material	material sintético
man-made fibre	fibra sintética
canvas	lona
oilcloth	hule
tweed	tweed
cashmere	cachemira
velvet	terciopelo
cord	pana

the house is made of wood
la casa es de madera

a wooden spoon
una cuchara de madera

the Iron Age
la Edad de Hierro

64 DIRECTIONS
LAS INDICACIONES

to ask	preguntar
to point out	señalar
to show	mostrar
take	coger
keep going	seguir
follow	seguir
go past	pasar por
go back	regresar
reverse	retroceder
turn right	girar a la derecha
turn left	girar a la izquierda

directions	las direcciones
left	izquierda
right	derecha
on/to the left	a la izquierda
on/to the right	a la derecha
straight ahead/on	derecho
where	donde, dónde
in front of	delante de
behind	detrás de
on	sobre
under	bajo
beside	al lado de
opposite	enfrente de
in the middle of	en medio de
along	a lo largo de
at the end of	al final de
between	entre
after	después de

after the traffic lights	después del semáforo
just before	justo antes de
for — metres	por — metros
at the next crossroads	en el próximo cruce
first on the right	la primera a la derecha
second on the left	la segunda a la izquierda

the points of the compass los puntos cardinales

south	sur
north	norte
east	este
west	oeste
north-east	noreste
north-west	noroeste
south-east	sureste

can you tell me the way to the station?
¿me podría indicar cómo llegar a la estación?

is it far from here?
¿está lejos de aquí?

ten minutes from here
a diez minutos de aquí

100 metres away
a 100 metros de aquí

to the left of the post office
a la izquierda de la oficina de correos

south of Newcastle
al sur de Newcastle

London is in the south of England
Londres está en el sur de Inglaterra

France is to the south of England
Francia está al sur de Inglaterra

65 AMERICANISMS
AMERICANISMOS

En este capítulo, figura una lista de palabras en inglés británico, seguidas de su equivalente en inglés americano, así como su traducción al español. Las palabras seguidas de asterisco se emplean tanto en Gran Bretaña como en Estados Unidos.

aubergine/eggplant	berenjena
autumn/fall	otoño
beetroot/beet	remolacha azucarera
bill/check	cuenta
biscuit/cookie	galleta
bonnet/hood	capó
boot/trunk	maletero
braces/suspenders	tirantes
bumper/fender	parachoques
camp bed/cot	catre
car hire/car rental*	alquiler de coches
car park/parking lot	aparcamiento
caravan/trailer	caravana
caster sugar/powdered sugar	azúcar en polvo
cheeky/fresh	caradura
chemist's/pharmacy*, drugstore	farmacia, droguería
chips/(French) fries*	patatas fritas
cinema/movie theater	cine
cornflour/corn starch	maicena
counterfoil/stub	talón (cheque)
courgette/zucchini	calabacín
crisps/chips	patatas fritas (de bolsa)
current account/checking account	cuenta corriente
curtains/drapes	cortinas

deposit account/savings account	cuenta de depósito
directory enquiries/information	información (tel.)
drawing pin/thumb tack	chincheta
dummy/pacifier	chupete
dustman/garbage collector	barrendero
elastic band/rubber band*	banda elástica
engaged tone/busy signal	tono de comunicar
engaged/busy*	comunica
estate agent/realtor	agente inmobiliario
estate car/station wagon	furgoneta
ex-directory/unlisted	número que no figura en la guía
extension/local	extensión
false teeth/dentures*	dentadura postiza
film/movie*	película
fireman/firefighter	bombero
first floor/second floor	primer piso
flat/apartment	apartamento
garden/yard	jardín
goods train/freight train	tren de carga
to grill/broil	asar a la parrilla
ground floor/first floor	planta baja
guard/conductor	jefe de tren
handbag/purse	bolso
high street/main street*	calle principal
holiday/vacation	vacaciones
hoover/vacuum*	aspiradora
ice lolly/popsicle	polo
ill/sick*	enfermo
interval/intermission*	intervalo
ironmonger's/hardware store	ferretería

janitor/superintendent	portero
jumper/sweater*	jersey
junction/intersection	cruce
leader/concertmaster	primer violín
letter box/mail box	buzón
level crossing/grade crossing	paso a nivel
lift/elevator	ascensor
lorry/truck	camión
a thousand million/a billion	mil millones
mince/ground beef	carne picada
motorway/freeway	autopista
nappy/diaper	pañal
number plate/license plate	placa
off-licence/liquor store	licorería
old-age pensioner/golden ager	persona de la tercera edad
to overtake/pass	adelantar (a un coche)
paperback/pocketbook	libro de bolsillo
pavement/sidewalk	acera
petrol/gas	gasolina
post code/zip code	código postal
postman/mailman	cartero
power point/outlet	toma de corriente
primary school/grade school	enseñanza primaria
public school/private school*	escuela privada
puncture/flat	pinchazo
purse/change purse	monedero
pushchair/stroller	sillita de ruedas
queue/line	cola
railway/railroad	ferrocarril
return (ticket)/round-trip ticket	billete de ida y vuelta

reverse the charges/make a collect call	llamar a cobro revertido
ring/call*	llamar por teléfono
roundabout/traffic circle	glorieta
rubber/eraser	goma de borrar
rubbish/garbage, trash	basura
scone/biscuit	bollo
sellotape(R)/Scotchtape (R)	celo
shop/store*	tienda
shop assistant/clerk	vendedor
single (ticket)/one-way ticket	billete de ida
social security/welfare	seguro de desempleo
spring onions/scallions	cebolla
stalls/orchestra	patio de butacas
state school/public school	escuela estatal
sticking plaster/bandaid	tirita
study/den	estudio
sweets/candy	dulces
tap/faucet	grifo
tights/panty hose	medias, mallas
tin/can*	lata
toilet/restroom	servicio
torch/flashlight	linterna
train driver/engineer	conductor de tren
tram/trolley car	tranvía
trolley/cart	carrito (superm.)
trousers/pants	pantalones
truncheon/night stick	porra
typist/stenographer	mecanógrafo
underground/subway	metro
vacuum flask/thermos*	termo
vomit/throw up*	vomitar
waistcoat/vest	chaleco
wallet/billfold	billetera

ÍNDICE